4/3.

I

EN ROUTE

COURS DE FRANÇAIS I

EN ROUTE

BY

E. SAXELBY, M.A.

Illustrated by
Blam

GINN AND COMPANY LTD.
QUEEN SQUARE, LONDON, W.C.1

GINN AND COMPANY LTD., LONDON

COPYRIGHT
First published 1937
Ninth impression 1948

604810

COURS DE FRANÇAIS
By - - *E. Saxelby*, *M.A.*

I.   EN ROUTE
    240 pages, cloth, illustrated

II. EN MARCHE
    320 pages, cloth, illustrated

III. EN FRANCE
    320 pages, cloth, illustrated

IV. ENFANTS DE FRANCE
    320 pages, cloth, illustrated

GINN AND COMPANY LTD.
7 QUEEN SQUARE, LONDON W.C.1

PRINTED IN GREAT BRITAIN
BY R. & R. CLARK, LIMITED, EDINBURGH

PREFACE

THIS " Cours de Français ", in four parts, will be found to meet all the needs of pupils who are preparing for the School Certificate Examination in French. But above and beyond this my aim has been so to awaken their interest in the speech, the literature, the life and the future of France that they will want to continue their study after they leave school. This I have always held to be the true justification for the inclusion of French or of any modern foreign language in the school curriculum. More and more we are realizing that the best citizen is " no island cut off from other lands, but a continent that joins to them ".

En Route (*Book One*) introduces the beginner in a modest way to French life in the country. *En Marche* (*Book Two*) continues in Paris. In the third and fourth books of the Course I hope to travel farther afield—first to various well-defined regions of France, then to Greater France overseas.

The friends of *Mon Livre* will find that the method I have used in " Cours de Français " is the same as that of the earlier series. But the new Course has been more carefully graded in difficulty, and the reading matter provided is more varied and more extensive. I am convinced that the educational value of learning a language is to be sought in a first-hand experience of it as a medium of expression rather than in an intensive study of its grammatical structure. This has led to the use of a wider vocabulary, but a glance at the books will show that this vocabulary has been selected from words frequently used in daily intercourse or met with in general reading of a simple kind, while the work in the Exercises has been designed to give abundant practice in the use of important grammatical forms. The only royal road to successful teaching is, I believe, to awaken and stimulate the interest and imaginative sympathy of the pupil, and this is what the present series hopes to do.

My grateful thanks are due to my friends Mlle L. Dosmond (Directrice, Collège de jeunes filles, Châteauroux), Mlle R. Dosmond (Professeur d'Anglais, Lycée de jeunes filles, Lyon), Miss M. Marsh (Upholland Grammar School) and B. Harrison, Esq. (Bolton School), who have kindly read my manuscript and offered useful suggestions.

E. S.

A NOTE ON TENSES

In " En Route " the Présent *is used ; the* Futur *and* Passé Composé *being introduced only at the end of the book. In " En Marche " I have concentrated on these three tenses, believing that it is better to postpone till the third year the introduction of the* Passé Historique. *The* Passé Composé *with its attendant difficulties of Past Participle agreement demands a year's work if it is to be mastered completely, and I have found it better to avoid confusion by leaving the* Passé Historique *to be taken up at a later stage in connection with work of a more serious, narrative type. The* Imparfait *I have introduced only towards the end of " En Marche ", and in conjunction with the* Passé Composé.

E. S.

6

TABLE DES MATIÈRES

7

8

NOMS DE GARÇONS

André	Jean
Auguste	Laurent
Bernard	Louis
Charles	Maurice
Claude	Paul
Émile	Pierre
François	Raoul
Gui	Robert
Henri	Thomas
Jacques	Vincent

NOMS DE FILLETTES

Adèle	Jeanne
Adrienne	Louise
Antoinette	Madeleine
Claire	Marie
Colette	Monique
Denise	Renée
Estelle	Rose
Gabrielle	Solange
Hélène	Thérèse
Jacqueline	Yvonne

I. TOTO ENTRE

Voici la porte.   C'est une porte.

Regardez la porte !

Je regarde la porte.

Qui ouvre une porte ?

C'est Toto.

Toto ouvre la porte.

Regardez Toto !

Qui entre ?
C'est Toto.

Toto entre.
Regardez Toto !

Qui ferme la porte ?
C'est Toto.
Toto ferme la porte.

Je regarde Toto.
    Regardez Toto !

I

Exercice I.

(Exemple : Où est la porte ?
    Voici la porte) :

1. Où est la porte ?
2. Où est une porte ?
3. Où est Toto ?

Exercice II.

(Exemple : Qui ouvre la porte ?
    Toto ouvre la porte) :

1. Qui ouvre la porte ?
2. Qui entre ?
3. Qui ferme la porte ?
4. Qui ouvre une porte ?
5. Qui ferme une porte ?

Exercice III.

(Exemple : Regardez la porte.
Je regarde la porte) :

1. Regardez la porte.
2. Regardez Toto.
3. Touchez une porte.
4. Ouvrez une porte.
5. Fermez une porte.
6. Touchez la porte de la salle de classe.
7. Ouvrez la porte de la salle de classe.
8. Fermez la porte de la salle de classe.
9. Touchez Exercice V.

Exercice IV.   (Exemple : Jean, touchez la porte.
Jean : *Je touche la porte.*
Marie, qui touche la porte ?
Marie : *Jean touche la porte*) :

1. Jean, touchez la porte.
   Marie, qui touche la porte ?

2. Yvonne, ouvrez une porte.
   Georges, qui ouvre une porte ?

3. René, fermez la porte.
   Madeleine, qui ferme la porte ?

4. Georges, touchez Guillaume.
   Henri, qui touche Guillaume ?

5. Rose, regardez Marie.
   Colette, qui regarde Marie ?

Exercice V.   Comptez de 1 à 5 :
un, deux, trois, quatre, cinq.

Exercice VI.   Apprenez par cœur le singulier du Présent
de l'Indicatif (*Je regarde*, etc.).   (Page 188.)

Exercice VII.   Apprenez par cœur :

regardez	je regarde, etc.	la porte
touchez	je touche, etc.	une porte
ouvrez	j'ouvre, etc.	la salle de classe
entrez	j'entre, etc.	une salle de classe
fermez	je ferme, etc.	

Grammar Reference : Pages 187, 188.

II.
OU SONT
PAPA ET MAMAN?

Voici Toto.

Regardez Toto.

Voici la table.   C'est une table.

Toto regarde la table.

Voici la chaise.   C'est une chaise.

C'est la chaise de Papa.

Toto regarde la chaise.

Où est Papa ?

Où est-il ?

Voici une seconde chaise.

Voici des chaises, une chaise, deux chaises.

La seconde chaise est la chaise de Maman.

Les deux chaises sont les chaises de Papa et de Maman.

Toto regarde les chaises de Papa et de Maman.

Où est Papa ?	Où est-il ?
Où est Maman ?	Où est-elle ?
Où sont Papa et Maman ?	Où sont-ils ?
Où sont les chaises ?	Où sont-elles ?

II

Exercice I.

(Exemples : Où est Georges ? *Où est-il ?*
Où est Yvonne ? *Où est-elle ?*) :

1. Où est Georges ?
2. Où est Yvonne ?
3. Où est Jean ?
4. Où est Rose ?
5. Où sont Guillaume et Henri ?
6. Où sont Rose et Madeleine ?
7. Où est Papa ?
8. Où est Maman ?
9. Où sont Papa et Maman ?
10. Où sont Georges et Marie ?
11. Où sont Louise et Anne ?
12. Où sont Pierre et Jeanne ?

Exercice II.

Comptez de 1 à 10 :

un . . . cinq, six, sept, huit, neuf, dix.

Exercice III.

(Exemple : Touchez trois chaises.
Je touche une, deux, trois chaises) :

1. Touchez trois chaises.
2. Comptez huit chaises.
3. Ouvrez la porte.
4. Fermez la porte.
5. Touchez six chaises.
6. Touchez quatre garçons.
7. Fermez deux fenêtres.
8. Comptez dix fillettes.

Exercice IV.   Lisez à haute voix

(Exemple : 2 + 2 = ?   *Deux et deux font quatre*) :

(1) 2 + 2 = ?   (3) 4 + 6 = ?   (5) 3 + 7 = ?
(2) 3 + 4 = ?   (4) 1 + 5 = ?   (6) 4 + 5 = ?

Exercice V.   Écrivez au pluriel

(Exemple : Où est-il ?   Où *sont-ils ?*) :

1. Où est-il ?   6. La porte et une table.
2. Où est-elle ?   7. Où est la table ?
3. La table et la chaise.   8. Où est la chaise ?
4. Une table et une chaise.   9. Où est une table ?
5. La chaise et une porte.   10. Où est une chaise ?

Exercice VI.   Écrivez à la forme interrogative

(Exemple : Il est.   *Est-il ?*) :

1. Il est.   5. Il regarde.
2. Elle est.   6. Elle regarde.
3. Ils sont.   7. Ils entrent.
4. Elles sont.   8. Elles entrent.

Exercice VII.   Apprenez par cœur :

SINGULIER	PLURIEL
la chaise	les chaises
une chaise	des chaises
le garçon	les garçons
un garçon	des garçons
la fillette	les fillettes
une fillette	des fillettes

Grammar Reference : Pages 188, 189.

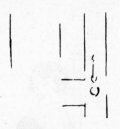

III. QUI ENTRE ?

Où sont Papa et Maman ?   Où sont-ils ?
Toto regarde la porte.
La porte est fermée.
Oui, oui, la porte est fermée !

Toto regarde la table.
Toto est petit.
Voici le sucre.
Le sucre est sur la table.

Toto monte
  sur la grande chaise
  de Maman.
Ah ! voici le sucre !
Toto touche le sucre.
Il est content !

Chut !

Regardez la porte !

Qui ouvre la porte ?

C'est Madame Lépine.

Madame Lépine est
la maman de Toto.

Madame Lépine entre.

Toto regarde Maman.

Maman regarde Toto.

Vite, Toto descend
de la chaise
de Maman.

Il ouvre la porte.

Au revoir, Toto!

III

Exercice I.

(Exemple : Où est Toto ?
Voici Toto) :

1. Où est Toto ?
2. Où est la table ?
3. Où est la chaise de Maman ?
4. Où est le sucre ?
5. Où est la porte ?
6. Où est Madame Lépine ?
7. Où est la chaise de Papa ?
8. Où est la Maman de Toto ?

Exercice II.

(Exemple : Comment est la porte ?
La porte est ouverte) :

1. Comment est la porte ?
2. Comment est Toto ?
3. Comment est la chaise de Maman ?
4. Comment est Madame Lépine ?

Exercice III.

(Exemple : Qui touche le sucre ?
Toto touche le sucre) :

1. Qui touche le sucre ?
2. Qui regarde Toto ?
3. Qui regarde la table ?
4. Qui est la maman de Toto ?
5. Qui monte sur une chaise ?

Il est petit   *Ils sont petits*

Exercice IV.   Écrivez au pluriel :
1. Il est petit.
2. Elle est petite.
3. La porte est ouverte.
4. Une table est grande :
5. Où est-il ?
6. Où est-elle ?
7. Elle entre.
8. Il regarde la chaise.

Exercice V.   Écrivez au féminin
(Exemple : Il est petit.
            Elle est *petite*) :
1. Il est petit.
2. Ils sont petits.
3. Papa est grand.
4. Il est fermé.
5. Ils sont fermés.
6. Le papa de Jean est grand.
7. Il est content.
8. Ils sont contents.

24

Exercice VI.

(Exemple : Touchez cinq chaises.

Je touche une, deux, trois, quatre, cinq chaises) :

1. Touchez cinq chaises.
2. Regardez la porte.
3. Touchez deux portes.
4. Ouvrez la porte.
5. Touchez la table.
6. Comptez quatre chaises.
7. Montez sur une chaise.
8. Fermez la porte.

Exercice VII.   Comptez de 1 à 15 :

un . . . dix, onze, douze, treize, quatorze, quinze.

Exercice VIII.   Apprenez par cœur :

	MASCULIN	FÉMININ
SINGULIER	grand	grande
	petit	petite
	content	contente
	fermé	fermée
PLURIEL	grands	grandes
	petits	petites
	contents	contentes
	fermés	fermées

Au revoir !

Grammar Reference : Page 190.

25

IV. MONSIEUR LÉPINE ENTRE

Voici Monsieur Lépine.

Monsieur Lépine ouvre la porte ; il entre vite, très vite.

Et il ferme la porte. Pan !

" Bonjour, mon ami,"
dit Madame Lépine.

" Bonjour, ma chère, bonjour,"
dit Monsieur Lépine.

Mais Monsieur Lépine regarde
la grande fenêtre.

" Ma chère," dit Monsieur Lépine.
" Regarde la grande fenêtre !

" La grande fenêtre est ouverte ! "

Monsieur Lépine va vite à la grande fenêtre.
Vlan !

Il ferme la grande fenêtre.

Monsieur Lépine
regarde la petite
fenêtre.

Quelle horreur !
La petite fenêtre
est ouverte aussi !

" Ma chère, ma chère, "
dit Monsieur Lépine.
" Regarde la petite fe-
nêtre. Elle est ouverte
aussi."

" Eh bien, oui, " dit Madame Lépine. " Elle
est ouverte, mon ami."

Vite, Monsieur Lépine va à la petite fenêtre.
Vlan !

Monsieur Lépine ferme la petite fenêtre.

Il regarde la grande fenêtre ; elle est fermée.

Il regarde la petite fenêtre ; elle est fermée
aussi.

Il va à la table.

Il est content ; il est très content.

Oui, les deux fenêtres sont fermées.

IV

Exercice I.

(Exemple : Comment est la grande fenêtre ?
La grande fenêtre est ouverte) :

1. Comment est la grande fenêtre ?
2. Comment est la petite fenêtre ?
3. Comment est la porte ?
4. Comment est Monsieur Lépine ?
5. Comment est la table ?
6. Comment est la chaise ?
7. Comment sont les chaises ?
8. Comment sont les fenêtres de la salle de classe ?
9. Comment est la porte de la salle de classe ?
10. Comment est la classe ?

Exercice II.   Comptez de 1 à 20 :

un . . . quinze, seize, dix-sept, dix-huit, dix-neuf,
vingt.

Exercice III.

(Exemple : Qui ouvre la porte ?
Monsieur Lépine ouvre la porte) :

1. Qui ouvre la porte ?
2. Qui entre ?
3. Qui dit " Bonjour, mon ami " ?
4. Qui regarde la grande fenêtre ?
5. Qui va à la grande fenêtre ?
6. Qui ferme la grande fenêtre ?
7. Qui ferme la petite fenêtre ?
8. Qui va à la table ?

28

Exercice IV.   Écrivez au féminin
   (Exemple : Il est petit.   *Elle* est *petite*) :

1. Il est petit.
2. Il entre.
3. Il est grand.
4. Ils sont ouverts.
5. Il est content.
6. Ils sont contents.
7. Monsieur est grand.
8. Monsieur est petit.
9. Ils sont petits.
10. Ils sont fermés.

Exercice V.
   (Exemple : Touchez cinq garçons.
   Je touche un, deux, trois, quatre, cinq garçons) :

1. Touchez cinq garçons.
2. Comptez huit fillettes.
3. Ouvrez la porte.
4. Fermez la porte.
5. Fermez deux fenêtres.
6. Touchez huit chaises.
7. Comptez deux portes.
8. Regardez un garçon.
9. Lisez à haute voix : $7+3 = ?$; $3+9 = ?$; $7+6+5 = ?$; $4+2+8 = ?$
10. Lisez à haute voix : $11+9 = ?$; $10+3 = ?$; $9+9 = ?$; $5+7+3 = ?$

Exercice VI.   Écrivez à la forme interrogative
   (Exemple : Elle touche.   *Touche-t-elle ?*) :

1. Elle touche.
2. Il regarde la table.
3. Il va à la fenêtre.
4. Elle ouvre la porte.
5. Elle dit " Bonjour."
6. Il entre vite.
7. Il est content.
8. Elles sont fermées.

Exercice VII.   Apprenez par cœur :

	SINGULIER	PLURIEL
MASCULIN	cher	chers
	quel	quels
FÉMININ	chère	chères
	quelle	quelles

	SINGULIER	PLURIEL
3ᵉ PERSONNE	il ouvre	ils ouvrent
	il entre	ils entrent
	il ferme	ils ferment
	il regarde	ils regardent
	il touche	ils touchent
	il dit	ils disent
	il va	ils vont
	il est	ils sont

Grammar Reference : Page 191.

V. LES ENFANTS ENTRENT

Voici Paul.

Regardez Paul.

Paul est le fils
de Monsieur Lépine
et de Madame Lépine.

Paul est grand ;
il n'est pas petit.

Paul ouvre la porte ; il entre ; il ferme la porte.

" Bonjour, Papa !   Bonjour, Maman ! " dit
Paul.

Voici Bobette.

Regardez Bobette.

Bobette est la fille
de Monsieur Lépine
et de Madame Lépine.

Bobette est grande ;
elle n'est pas petite.

Bobette ouvre la porte ;
elle entre ; elle ferme la porte.

" Bonjour, Papa.
Bonjour, Maman, "
dit Bobette.

31

Bobette regarde les fenêtres. Les deux fenêtres sont fermées.

" Quelle horreur ! " dit Bobette. " Papa, les deux fenêtres sont fermées ! "

Vite, Bobette va à la grande fenêtre. Vite, elle ouvre la grande fenêtre.

" Papa, j'ouvre la fenêtre, n'est-ce pas ? " dit Bobette.

" Mais, ma fille . . .," dit Monsieur Lépine. Il n'est pas content ; non, il n'est pas content.

Il regarde Bobette. Bobette sourit ; elle est contente.

" Oui, Bobette, c'est bien," dit Monsieur Lépine.

Madame Lépine regarde Monsieur Lépine.
Elle regarde Bobette. Elle sourit. Elle est contente, elle aussi.

V

Exercice I. (Exemple : Qui est le fils de Monsieur
Lépine ? *Paul est le fils de Monsieur Lépine*) :

1. Qui est le fils de Monsieur Lépine ?
2. Qui est la fille de Monsieur Lépine ?
3. Qui est le fils de Madame Lépine ?
4. Qui est la fille de Madame Lépine ?
5. Qui ouvre la porte ?
6. Qui ferme la porte ?
7. Qui ferme la fenêtre ?
8. Qui ouvre la fenêtre ?
9. Qui regarde Bobette ?
10. Qui regarde Monsieur Lépine ?

Exercice II. Comptez de 1 à 50 :

un . . . vingt, vingt et un, vingt-deux, vingt-trois . . .
vingt-neuf, trente, trente et un, trente-deux . . . trente-
neuf, quarante, quarante et un, quarante-deux . . .
quarante-neuf, cinquante.

Exercice III. (Exemple : Comment est Paul ?
Paul est grand) :

1. Comment est Paul ?
2. Comment est Bobette ?
3. Comment est Monsieur Lépine ?
4. Comment est Madame Lépine ?
5. Comment est la table ?
6. Comment est la chaise ?
7. Comment est la grande fenêtre ?
8. Comment est la petite fenêtre ?

c

Exercice IV.   Écrivez au négatif
(Exemple : Paul est petit.
            Paul *n'est pas* petit) :

1. Paul est petit.
2. Monsieur Lépine est content.
3. Bobette est la fille de Toto.
4. La fenêtre est fermée.
5. Les portes sont ouvertes.
6. La chaise est sur la table.
7. La table dit " Bonjour."
8. La chaise sourit.
9. Monsieur Lépine est une fillette.
10. Bobette est un garçon.
11. Madame Lépine a dix filles.
12. Toto est très grand.

Exercice V.   Écrivez au pluriel
(Exemple : Le fils est grand.
            Les fils sont grands) :

1. Le fils est grand.
2. La fille est petite.
3. Il va vite.
4. La fenêtre est fermée.
5. Est-il content ?
6. Non, il n'est pas content.
7. Elle n'est pas grande.
8. Il ferme une porte.
9. Elle touche une chaise et une table.
10. La fille est grande.
11. La porte est ouverte.
12. Elle regarde le grand garçon.

34

Exercice VI. (Exemple : Touchez sept chaises.
Je touche une, deux, trois . . . sept chaises) :

1. Touchez sept chaises.
2. Ouvrez la porte.
3. Dites " Bonjour " à Marie.
4. Regardez Georges.
5. Souriez à la chaise.
6. Fermez deux fenêtres.
7. Ouvrez une fenêtre et une porte.
8. Touchez huit personnes.
9. Regardez la classe.
10. Comptez de 1 à 50.

Exercice VII. Apprenez par cœur les numéros

1	2	3	4	5	6	7	8	9	10
11	12	13	14	15	16	17	18	19	20
21	22	23	24	25	26	27	28	29	30
31	32	33	34	35	36	37	38	39	40
41	42	43	44	45	46	47	48	49	50

Grammar Reference : Pages 192 and 219.

VI. BOUM! BOUM!!

Boum! Boum!! Boum! Boum!!

Monsieur Lépine sursaute. Patatras! Sa chaise tombe. Monsieur Lépine n'est pas content. " Qu'y a-t-il, ma chère ? Qu'y a-t-il ? "

Madame Lépine sourit. Elle regarde la porte.

" Oh, mon ami," dit-elle. " C'est Toto qui arrive."

Boum! Boum!!

Toto ouvre la porte et entre. Regardez Toto.

Toto est le fils de Monsieur Lépine et de Madame Lépine. Il n'est pas grand ; non, il est petit, très petit. Il est le benjamin de la famille.

Toto sourit.

" Bonjour, Papa ! Bonjour, Maman ! Bonjour, Paul ! " dit Toto.

" Regarde, Maman ; je ferme la porte ! "

Et Toto ferme la porte.

Vlan !

Toto est assis
   sur une chaise haute.
Toto a une cuillère.
Toto sourit.
Toto est content ;
   il est très content.
Le sucre est sur la table.
Il regarde le sucre.

" Regardez-moi, Papa et Maman ! J'ai une cuillère, une grande cuillère.

" Regardez-moi, Paul et B'bette ! J'ai une cuillère, une grande cuillère."

Toto frappe la table,
un, deux, trois !
Boum !
Boum ! !
Boum ! ! !
Toto est très content.

Madame Lépine donne à Toto un petit bol de lait.

Toto regarde le sucre. Le sucre est bon. Il adore le sucre.

Toto lève sa cuillère. Hop !

Hélas ! Où est le bol de lait de Toto ? Le lait est sur la table ; hélas ! le lait est sur la table !

Mais le bol n'est pas sur la table. Non, le bol est sous la table !

Toto regarde le lait avec surprise. " Oh ! Oh ! ! Oh ! ! ! " dit Toto.

VI

Exercice I.

(Exemple : Qui regarde la table ?

Madame Lépine regarde la table) :

1. Qui regarde la table ?
2. Qui sourit ?
3. Qui arrive à la porte ?
4. Qui entre ?
5. Qui a une cuillère ?
6. Qui frappe la table ?
7. Qui donne le bol de lait ?
8. Qui adore le sucre ?
9. Qui est assise sur une chaise ?
10. Qui est assis sur une chaise haute ?
11. Qui est le benjamin de la famille ?
12. Qui ouvre les fenêtres de la salle de classe ?

Exercice II.   Complétez

(Exemple : L– grand– cuillère est sur l– table.

La grande cuillère est sur la table) :

1. L– grand– cuillère est sur l– table.
2. L– petit– fenêtre est fermé–.
3. L– deux fenêtre– sont fermé–.
4. Madame Lépine et Bobette sont content–.
5. " Bonjour, m– ch–," dit Madame Lépine à Bobette.
6. L– petit– porte n'est pas ouvert–.
7. L– petit Toto regarde l– bon sucre.
8. Madame Lépine et Bobette sont assis– sur deux grand– chaises.
9. Quel– fenêtre est ouvert– ?
10. L– bol d– lait est s– l– table.

Exercice III.

(Exemple : Que fait Toto ?

Toto sourit) :

1. Que fait Toto ?
2. Que fait Monsieur Lépine ?
3. Que fait la chaise ?
4. Que fait Madame Lépine ?
5. Que fait le bol de lait ?

Exercice IV. Écrivez au féminin
(Exemple : Il est petit.

Elle est *petite*) :

1. Il est petit.
2. Papa n'est pas content.
3. Le fils est grand et bon.
4. Ils sont fermés.
5. " Mon cher," dit-il.
6. Voici mon bon ami.
7. Il regarde le fils de Monsieur Lépine.
8. Monsieur est assis.
9. Il est haut.
10. Henri n'est pas grand.

Exercice V.

Comptez de 1 à 80 :

un, deux . . . cinquante, cinquante et un, cinquante-deux . . . cinquante-neuf, soixante, soixante et un, soix-ante-deux . . . soixante-neuf, soixante-dix, soixante et onze, soixante-douze, soixante-treize, soixante-quatorze, soixante-quinze, soixante-seize, soixante-dix-sept, soix-ante-dix-huit, soixante-dix-neuf, quatre-vingts.

Exercice VI.   Écrivez au pluriel
(Exemple : J'ouvre la porte.
                   Nous ouvrons les portes) :

1. J'ouvre la porte.
2. Tu regardes la fenêtre.
3. Je touche une chaise.
4. Il entre et ferme la porte.
5. La grande cuillère est sur la table.
6. Je ne touche pas le bol.
7. Le fils est assis sur la chaise.
8. Il ne regarde pas la famille.

Exercice VII.   Apprenez par cœur :

1. Le Présent de l'Indicatif (*je regarde*, etc.   Page 193).
2. Le Vocabulaire suivant :

MASCULIN	FÉMININ
le bol	la cuillère
le lait	la famille
le sucre	la surprise

INFINITIFS	
arriver	lever
adorer	sursauter
donner	tomber
frapper	

Grammar Reference : Pages 192, 193.

41

VII. SAYNÈTE

*(Scène. Salle à manger de la famille Lépine.
Madame Lépine et Bobette sont assises devant
la table.)*

BOBETTE.   Mon chocolat, s'il te plaît, Maman.

MADAME LÉPINE.   Voici, Bobette.   As-tu un petit
pain ?

BOBETTE.   Oui, merci, Maman.

*(Monsieur Lépine ouvre la porte, entre, ferme
la porte.   Pan !)*

MME LÉPINE.   Vite, vite, Bobette, une chaise
pour ton papa !

BOBETTE.   Voici une chaise, Papa.

M. LÉPINE.   Oh, merci, Bobette, merci, mon
enfant.   Passe-moi un petit pain, s'il te plaît,
mon amie, et donne-moi vite, vite, mon café.
Bobette, ma serviette, vite !

*(Boum !   Boum ! !   Boum ! ! !   M. Lépine
sursaute ; sa chaise tombe.)*

42

M. Lépine.   Toto !   Que fait-il, mon Dieu, que fait-il ?   Donne-moi vite ma chaise, Bobette !

(*Toto entre ; il sourit.*)

M. Lépine.   Ma chère, où est la chaise de l'enfant?

Mme Lépine.   Bobette, donne-moi Toto.

Bobette.   Bonjour, mon Toto.   (*Elle donne Toto à sa mère.*)   Voici la chaise de Toto.

Toto.   Le sucre, Papa, le sucre !

M. Lépine (*donne un morceau de sucre à Toto*).   Mon amie, où est le lait du petit Toto ?

Toto (*sourit, mange le sucre*).   Regarde, Maman !

Mme Lépine (*donne un bol de lait à Toto*).   Voici ton lait, mon Toto.

M. Lépine.   Bobette, où est Paul ?   Où est-il ?

Paul (*entre*).   Bonjour, Papa ; bonjour, Maman. Passe-moi un petit pain, s'il te plaît, Bobette, et le beurre.

Bobette.   Voici ta serviette, Paul.

Paul.   Merci.   Hé, mon Toto !   (*Il donne un morceau de sucre à Toto.*)

Mme Lépine.   Paul, ne fais pas ça, mon fils.

M. Lépine.   Vite, mes enfants, mangez vite, vite ! Il est tard.   Au revoir, Maman ; au revoir, Toto, au revoir, au revoir, au revoir !

(*Il sort de la salle à manger.   Pan !*)

Paul.   Comme Papa mange vite !

Bobette.   Ouf !   Maman, j'ouvre la fenêtre, n'est-ce pas ?

Toto.   Boum !   Boum ! !   Boum ! ! !

VII

Exercice I.
(Exemple : — fils — famille.
Le fils *de la* famille) :

1. — fils — famille.
2. — lait — enfant.
3. — serviette — fils.
4. — salle à manger — famille.
5. — chocolat — papa.
6. — porte — salle à manger.
7. — table — ami.
8. — chaise — enfant.
9. — café — maman.
10. — horreur — classe.
11. — benjamin — famille.
12. — beurre — petit pain.

Exercice II. Écrivez au pluriel
(Exemple : Le fils est content.
Les fils sont contents) :

1. Le fils est content.
2. L'enfant regarde la chaise.
3. Elle est sur la table.
4. Il ouvre une porte.
5. Elle passe un petit pain.
6. Une personne entre dans la salle à manger de la
   famille.
7. La petite fille mange un petit pain.
8. Je donne une chaise.
9. J'ouvre une fenêtre.
10. Je regarde la famille.

Exercice III.　Mettez *mon, ma, mes*
(Exemple : — table.　*Ma* table) :

table, famille, chaise, petit pain, enfant, serviette,
classe, amie, fils, fille, bol, enfants, amis, cuillères.

Exercice IV.
1. Comptez 1-80.
2. Nommez quatre objets dans une salle à manger.
3. Nommez quatre objets sur la table de la salle à manger.
4. Nommez quatre membres de la famille.
5. Touchez huit chaises.
6. Fermez deux fenêtres.
7. Donnez une chaise à Marie.
8. Dites " Bonjour " à Georges.
9. Ouvrez la porte : sortez de la classe : fermez la porte.
10. Frappez la table.

Exercice V.　Complétez
(Exemple : Je touche ma chaise.　*Tu touches
ta chaise.　Il (Elle) touche sa chaise*) :

1. Je touche ma chaise.
2. Je mange mon petit pain.
3. Je touche ma serviette.
4. J'adore mon enfant.
5. Je regarde mon fils.
6. Je passe un petit pain à mon papa.
7. Je dis " Bonjour " à ma chère maman.
8. Je donne mon lait à mon fils.

45

Exercice VI.   Écrivez au négatif
   (Exemple : Il est assis.

                   Il *n*'est *pas* assis) :

1. Il est assis.
2. As-tu ?
3. Elle ouvre la porte.
4. Sa chaise tombe.
5. Que fait-il ?
6. Toto entre.
7. Elle donne le bol de lait à Toto.
8. Il est tard.

Exercice VII.   Comptez de 1 à 100 :

   un, deux . . . quatre-vingts, quatre-vingt-un, quatre-vingt-deux . . . quatre-vingt-neuf, quatre-vingt-dix, quatre-vingt-onze . . . quatre-vingt-dix-neuf, cent.

Exercice VIII.   Apprenez par cœur :

1. Le Présent de l'Indicatif (*je lève*, etc. *je souris*, etc.).   (Page 193.)
2. Le Vocabulaire suivant :

MASCULIN	FÉMININ
le beurre	la scène
le café	la saynète
le chocolat	la salle à manger
le petit pain	la salle de classe
le morceau	la serviette
un enfant	une enfant

Grammar Reference : Pages 194, 195.

RÉVISION

Exercice I.

    (Exemple : — fils — famille.

                Le fils *de la* famille) :

1. — fils — famille.
2. — bol — enfant.
3. — porte — salle à manger.
4. — table — ami.
5. — fille — monsieur.
6. — fenêtre — salle de classe.
7. — cuillère — enfant.
8. — petit pain — fils.
9. — serviette — papa.
10. — chaise — maman.

Exercice II.

    (Exemple : Comment est Toto ?

                Toto est petit) :

1. Comment est Toto ?
2. Comment est la table ?
3. Comment est le chocolat ?
4. Comment est la fenêtre ?
5. Comment est la chaise de Toto ?
6. Comment est le sucre ?
7. Comment est Paul ?
8. Comment est la porte ?
9. Comment est Bobette ?
10. Comment est le petit pain ?

Exercice III. (Exemple : Monsieur Lépine est content.
Monsieur Lépine *n'*est *pas* content) :

1. Monsieur Lépine est content.
2. Toto est grand.
3. La table est haute.
4. La chaise tombe.
5. Je frappe Papa.
6. Elle sursaute.
7. Dites cela !
8. Frappez l'enfant.
9. Paul monte sur la table.
10. Le bol de lait de l'enfant tombe.

Exercice IV. Complétez :

1. L– grand– salle de classe est haut–.
2. Elle est bon–.
3. Madame est content–.
4. Elle est assis–.
5. L– second– fenêtre est fermé–.
6. L– porte n'est pas ouvert–.
7. M– ch– Maman !
8. M– petit– fille est assis– sur l– haut– chaise.
9. S– amie est petit–.
10. M– papa est bon.

Exercice V. (Exemple : Qui est content ?
Monsieur Lépine est content) :

1. Qui est content ?
2. Qui est grand ?
3. Qui est petit ?
4. Qui est bon ?
5. Qui est bonne ?
6. Qui est assise ?
7. Qui est cher ?
8. Qui est chère ?
9. Qui est grande ?
10. Qui est contente ?

Exercice VI. Écrivez la forme correcte de *mon, ma, mes* devant les substantifs suivants (Exemples : *mon* fils, *ma* chaise, *mes* filles) :

chaise, table, ami, amie, fils, horreur, filles, bol, lait, cuillères, serviette, petit pain, enfants, chocolat, café, classe, Papa, Maman, salle à manger, morceau de sucre.

Exercice VII.

(Ex. $13 + 36 = ?$ *Treize et trente-six font quarante-neuf.*
$5 \times 2 = ?$ *Cinq fois deux font dix*) :

(1) $13 + 36 = ?$ (7) $57 + 18 = ?$
(2) $5 \times 2 = ?$ (8) $1 + 2 + 3 + 4 = ?$
(3) $22 + 12 + 2 = ?$ (9) $3 \times 2 + 1 = ?$
(4) $34 \times 2 = ?$ (10) $3 + 11 + 15 = ?$
(5) $3 \times 3 = ?$ (11) $4 \times 2 + 11 = ?$
(6) $4 \times 8 = ?$ (12) $3 \times 3 + 4 \times 4 = ?$

Exercice VIII. Écrivez au pluriel
(Exemple : Il est grand. *Ils sont grands*) :

1. Il est grand.
2. Je touche la table.
3. Elle entre dans la classe.
4. La table est dans la salle à manger.
5. Elle est assise.
6. J'ouvre la porte.
7. Ferme la fenêtre !
8. La chaise tombe.
9. Il sursaute.
10. J'entre par la porte.
11. Elle regarde l'exercice.
12. Il frappe la table.

Exercice IX. Remplacez les tirets par la forme convenable de l'adjectif possessif (Exemples : *Je mange mon petit pain. Il frappe sa table*) :

1. Je mange — petit pain.
2. Il frappe — table.
3. Elle touche — chaise.
4. Je regarde — ami.
5. Tu adores — maman.
6. Il sort de — classe.
7. Je tombe de — chaise.
8. Elle regarde — papa.
9. Il dit " Bonjour " à — fille.
10. Tu donnes un morceau de sucre à — enfant.

Exercice X. Faites les actions convenables et dites ce que vous faites (Exemple : GEORGES. *Je donne une chaise à Marie*) :

1. Georges, donnez une chaise à Marie.
2. Paul, regardez Georges.
3. Yvonne, frappez la table trois fois.
4. Madeleine, souriez à Yvonne.
5. Ouvrez la porte !
6. Regardez un ami.
7. Entrez dans la classe.
8. Fermez la porte.
9. Touchez la table.
10. Fermez deux fenêtres.
11. Tombez de la chaise !
12. Regardez la table.
13. Sursautez !
14. Touchez huit chaises.
15. Comptez 1-100.

VOCABULAIRE

La famille

le père (Papa)	la mère (Maman)
le fils	la fille
le garçon	la fillette
un enfant	une enfant

Le petit déjeuner	*La salle à manger*
le café	la table
le chocolat	la chaise
le lait	la porte
le sucre	la fenêtre
le morceau de sucre	
le pain	la cuillère
le petit pain	la serviette
le beurre	

VERBES	ADJECTIFS
regarder	grand
toucher	petit
frapper	content
lever	haut
donner	cher (*f.* chère)
manger	bon (*f.* bonne)
ouvrir	quel (*f.* quelle)
entrer (dans)	fermé
sortir (de)	ouvert
arriver	PRÉPOSITIONS
fermer	à
tomber	sur
dire	sous
sourire	avec

PETITES PHRASES

Bonjour, Papa.   Bonjour, Maman.
Bonjour, mon ami.
Quelle horreur !
C'est bien, n'est-ce pas ?
Qu'y a-t-il ?   Qu'y a-t-il ?
C'est Toto qui arrive.
Passe-moi un petit pain, s'il te plaît.
Donnez-moi ma serviette, s'il vous plaît.
Ne faites pas ça !
Merci.   Merci beaucoup.
Au revoir !

PETITES SÉRIES

I

J'arrive à la porte.
J'ouvre la porte.
J'entre dans la salle à manger.
Je ferme la porte.
Je dis " Bonjour " à ma famille.

II

Je passe le pain à Papa.
Je passe le beurre à Maman.
Je mange un petit pain avec mon chocolat.
Je dis " au revoir " à ma famille.
Je sors de la salle à manger.

VIII. LE DÉPART

La famille Lépine est assise à table. Aujourd'hui, la famille est contente, très contente !

" Nous partons aujourd'hui, Papa, n'est-ce pas ? " dit Bobette. " Oh, comme je suis contente ! "

" Content ! " dit Toto. Il frappe la table, un, deux, trois.

" Oui, mes enfants," dit Monsieur Lépine. " Mais mangez vite ! Regardez l'heure. Il est déjà huit heures, et le taxi arrive à neuf heures."

" Oui," dit Madame Lépine. " Et les bagages ne sont pas prêts ! Nous avons juste une demi-heure pour manger. Vite, mes enfants, vite ! "

53

" Est-ce que le voyage est long, père ? " demande Paul.

" Assez long, mon fils," dit Monsieur Lépine. " Nous arrivons à St. Benoît à quatre heures et quart."

" Alors nous allons manger dans le train, je suppose, Maman ? "

" Oui, Paul," dit Madame Lépine. " Je vais préparer le déjeuner. Nous allons manger à midi dans le train."

" Bravo ! " dit Bobette. " J'adore manger dans le train."

Monsieur Lépine boit son café. " Vite, vite, mes enfants ; il est neuf heures moins vingt-cinq. Vous avez juste vingt-cinq minutes." Il sort de la salle à manger.

" Je vais aider Maman," dit Bobette. Elle sort de la salle à manger et va dans la cuisine avec sa mère.

" Donne-moi un morceau de sucre, Paul," dit Toto.

VIIl

Exercice I.   (Exemple :   — benjamin — famille.
                         Le benjamin *de la* famille) :

1. — benjamin — famille.
2. — heure — départ.
3. — bagages — ami.
4. — table — cuisine.
5. — cuillère — enfant.
6. — petit pain — père.
7. — porte — salle à manger.
8. — café — mère.
9. — lait — enfant.
10. — serviette — petite fille.

Exercice II.   Écrivez au pluriel
(Exemple : Il arrive.   *Ils arrivent*) :

il arrive ; il tombe ; tu manges ; je pars ; il sort ; j'ai ;
je suis ; il demande ; je vais ; il frappe ; tu fais ; je
mange.

Exercice III.   Quelle heure est-il ?

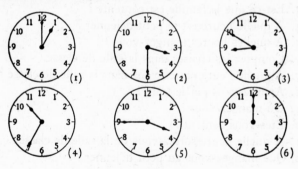

55

Exercice IV.   Quelle heure est-il ?

(1) 5 h. 25.   (4) 14 h. 0.   (7) 7 h. 15.
(2) 3 h. 45.   (5) 9 h. 50.   (8) 24 h. 0.
(3) 1 h. 10.   (6) 3 h. 20.

Exercice V.   Écrivez au pluriel (Exemple : Le père
regarde la fille.   *Les pères regardent les filles*) :

1. Le père regarde la fille.
2. Le fils est grand.
3. J'ai une cuillère.
4. Je pars aujourd'hui.
5. La mère est assise.
6. Elle adore l'enfant.
7. Il a un morceau de sucre.
8. Je mange le petit pain.
9. Je touche la chaise.
10. Elle est contente.

Exercice VI.   Répondez :

1. Comptez de 1 à 100.
2. Qui regarde l'heure ?
3. Est-ce que la famille est contente ?
4. A quelle heure est le petit déjeuner ?
5. A quelles heures mangez-vous ?
6. Comptez les chaises dans la salle de classe.
7. A quelle heure entrez-vous dans la salle de classe ?
8. Arrivez-vous par le train ?
9. Où mangez-vous ?
10. Êtes-vous content ?
11. A quelle heure sortez-vous de la salle de classe ?
12. Que mangez-vous au petit déjeuner ?

Exercice VII. Écrivez à la forme interrogative
(Exemple : Nous partons aujourd'hui.
Partons-nous aujourd'hui ?) :

1. Nous partons aujourd'hui.
2. Il frappe la table.
3. Il est déjà huit heures.
4. Le voyage est long.
5. Je vais préparer le déjeuner.
6. Il sort de la salle à manger.
7. Il va dans la cuisine.
8. Elle adore son enfant.

Exercice VIII. Apprenez par cœur :

1. Le Présent de l'Indicatif de boire, avoir, aller, partir.
(Pages 195, 196.)
2. L'Heure. (Pages 196, 197.)
3. Le Vocabulaire suivant.

MASCULIN	FÉMININ
le voyage	une heure
les bagages (*m.*)	la demi-heure
le départ	la minute
le quart d'heure	la seconde
prêt	prête
long	longue

INFINITIF	PRÉSENT DE L'INDICATIF
aider	j'aide, etc.
demander	je demande, etc.
préparer	je prépare, etc.

aujourd'hui

Grammar Reference : Pages 196, 197.

IX. LE TAXI ARRIVE

Tic-tac ! Tic-tac ! Tic-tac ! Tic-tac !

La grande pendule sur la cheminée de la salle à manger sonne.

Un coup ! Deux coups ! Trois coups ! Quatre coups ! Cinq coups ! Six coups ! Sept ! Huit ! Neuf coups !

Il est neuf heures. Voici le taxi qui arrive à la maison.

Le taxi s'arrête devant la porte de la maison.

"Hon ! Hon !" fait le klaxon du taxi.

Vite ! Vite la famille ! Il est neuf heures !

"Hon ! Hon !" fait le klaxon du taxi.

Bobette ouvre la porte de la maison.

"Bonjour, Mademoiselle," dit le chauffeur du taxi.

"Bonjour, Monsieur," répond Bobette. "Oui, nous sommes prêts. Un instant, s'il vous plaît."

Bobette va trouver sa mère.

"C'est le taxi, Maman," dit Bobette. "Il est neuf heures. Le taxi est là."

Le chauffeur descend du taxi. Il prend la grande malle de la famille et pose la malle dans le taxi.

Paul descend : il descend vite. Il porte une valise ; c'est la valise de sa mère. Il donne la valise au chauffeur du taxi.

Monsieur Lépine sort de la maison. Il a une grande valise à la main. Il porte aussi un sac. Il donne le sac et la valise au chauffeur.

" C'est tout, Monsieur ? " dit le chauffeur à Monsieur Lépine.

" Oui, c'est tout," répond Monsieur Lépine.

Bobette monte dans le taxi. Paul monte dans le taxi. Madame Lépine sort de la maison ; elle va monter dans le taxi.

Mais Madame Lépine ne monte pas dans le taxi.

" Où est Toto ? " dit Madame Lépine. " Où est mon enfant, mon Toto ? Cherchez Toto, mes enfants," dit-elle aux enfants.

Toto n'est pas là ! Où est Toto ?
Paul sort du taxi. Bobette sort du taxi.
" Où est Toto ? " " Mais où est Toto ? "

Exercice I. Remplacez les tirets par la forme convenable
de *au*, *à la*, *à l'*, *aux* (Exemple : — père : *au*
père) :

1. Il dit " Bonjour "— père, — mère et — enfants.
2. Elle donne du pain — famille et — ami.
3. Paul donne la valise — chauffeur.
4. La mère passe le beurre — fils et — fille.
5. M. Lépine donne la main — amis.
6. Bobette donne un morceau de sucre—benjamin de
la famille.

Exercice II.

(Exemple : Qui ouvre la porte de la maison ?
C'est Bobette qui ouvre la porte de la maison):

1. Qui ouvre la porte de la maison ?
2. Qui dit " Bonjour " à Bobette ?
3. Qui sort de la maison, une valise à la main ?
4. Qui n'est pas là ?
5. Qui ne monte pas dans le taxi ?
6. Qui porte un sac ?
7. Qui adore le sucre ?
8. Qui est assis à la table ?
9. Qui ouvre la fenêtre de la salle de classe ?
10. Qui va faire un voyage ?

Exercice III. Écrivez au pluriel

(Exemple : Je suis. *Nous sommes*) :

je suis ; tu as ; je vais ; il prend ; je réponds ; il
descend ; tu bois ; regarde ! ; je pars ; il sort ; elle
descend ; va !

Exercice IV. Quelle heure est-il ?

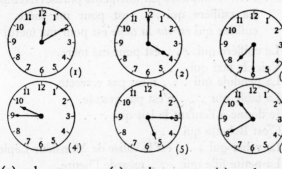

(1) 3 h. 25. (3) 12 h. 0. (5) 10 h. 50.
(2) 5 h. 45. (4) 19 h. 0. (6) 1 h. 30.

Exercice V. Écrivez au négatif (Exemple : Elle monte
    dans le taxi. Elle *ne* monte *pas* dans le taxi) :

1. Elle monte dans le taxi.
2. Je dis " Bonjour " au chauffeur.
3. L'enfant est assis sur sa chaise.
4. La famille va faire un voyage.
5. Donnez cette cuillère à l'enfant.
6. Le taxi s'arrête devant la porte.
7. Est-elle bonne ?
8. Madame sort du taxi.
9. La pendule est sur la cheminée.
10. La petite fille mange son petit pain.

Exercice VI. Lisez à haute voix et donnez le total :

(1) 21 + 16 + 53 + 78 = ?   (4) 11 + 61 + 33 + 9 = ?
(2) 13 + 15 + 44 + 92 = ?   (5) 22 + 12 + 67 = ?
(3) 41 + 14 + 73 = ?

Exercice VII.   Complétez par une petite phrase (Exemple :
La cuillère qui . . . est pour ma mère.   La
cuillère qui *est sur la table* est pour ma mère) :

1. La cuillère qui . . . est pour ma mère.
2. Voici le taxi qui . . .
3. La pendule qui . . . n'est pas correcte.
4. La table qui . . . n'est pas grande.
5. Je donne à l'enfant le lait qui . . .
6. C'est Bobette qui . . .
7. La valise qui . . . est la valise de Monsieur Lépine.
8. La petite fille qui . . . regarde l'heure.

Exercice VIII.   Apprenez par cœur :

1. Le Présent de l'Indicatif de : descendre ; répondre ;
prendre ; s'arrêter. (Pages 197, 198.)
2. Le Vocabulaire suivant.

MASCULIN	FÉMININ
le taxi	la maison
le chauffeur	la pendule
le klaxon	la cheminée
le sac	la malle
un instant	la valise
le coup	la main

INFINITIF	PRÉSENT DE L'INDICATIF
chercher	je cherche, etc.
trouver	je trouve, etc.
poser	je pose, etc.

Grammar Reference : Pages 197, 198.

X. OU EST TOTO ?

Toto n'est pas sage aujourd'hui ; non, il n'est pas sage.

Où est Toto ? Où est-il ?

Madame Lépine cherche Toto. Elle entre dans la maison : elle va à la salle à manger. Elle regarde derrière le grand fauteuil de Papa ; elle cherche sous la table, sous les chaises ; elle appelle " Toto ! Toto ! Où es-tu, Toto ? " Mais Toto n'est pas dans la salle à manger.

Paul n'est pas content ; non, il est furieux. Vraiment, Toto n'est pas sage aujourd'hui. Paul cherche Toto ; il monte dans sa chambre ; il regarde sous le lit, derrière les meubles — non, Toto n'est pas là. Paul appelle " Toto ! Toto ! " Mais Toto ne répond pas.

Bobette cherche Toto. Elle n'est pas furieuse, car elle adore Toto. Bobette est heureuse ; elle rit. " O mon Toto, tu n'es pas sage aujourd'hui ! " dit Bobette. Et elle va à la cuisine.

Dans la cuisine il y a un grand placard ; dans le placard il y a de bonnes choses — du sucre, du miel, des confitures. Toto aime les bonnes choses qui sont dans le placard.

Où est Toto ? Où est-il ?

Il est dans la cuisine, derrière la porte. Que fait-il ?

Il mange du sucre. Le sucre est bon, très bon. Toto est heureux. Il a le sucrier et il mange des morceaux de sucre, vite, vite !

Bobette entre dans la cuisine. Ah ! voilà Toto ! Bobette trouve Toto. Toto regarde Bobette ; il sourit, " Hé ! " dit Toto. " J' finis l' suc', B'bette. Je suis sage."

Oh ! Toto est sage, n'est-ce pas?

Bobette saisit Toto. Elle saisit le sucrier. Vite, elle pose le sucrier sur la table de la cuisine. Vite, elle sort de la cuisine ; elle ferme la porte de la cuisine. Pan !

Elle appelle. " Voici Toto, Paul, voici Toto ! " Paul arrive ; il est content. Monsieur et Madame Lépine sont heureux. Ils saisissent Toto ; ils montent dans le taxi. Paul et Bobette montent dans le taxi.

" Hon ! Hon ! " fait le klaxon du taxi. Les enfants sont contents ; ils sont très heureux.

" Enfin ! Nous partons ! Nous partons ! Au revoir ! Au revoir ! Au revoir ! "

E

Exercice I. (Exemple : — porte — cuisine.
La porte *de la* cuisine) :

1. — porte — cuisine.
2. — klaxon — taxi.
3. — sucrier — mère.
4. — lait — enfant.
5. — pendule — salle à manger.
6. — valise — père.
7. — main — petite fille.
8. — malle — ami.
9. — heure — déjeuner.
10. — chauffeur — famille.

Exercice II. Écrivez au féminin
(Exemple : Il est furieux. *Elle* est *furieuse*) :

1. Il est furieux.
2. Ils sont assis.
3. Le petit père a deux grands fils.
4. Il est heureux ; il regarde son père.
5. " Mon cher Papa ! " dit-il.
6. Monsieur est très bon.
7. Il est long et haut.
8. Il est petit et gai.

Exercice III. Écrivez au pluriel :

il entre ; tu saisis ; j'appelle ; il monte ; je vais ; tu
bois ; il est ; il appelle ; j'ai ; il prend ; il finit ; je
réponds ; il sort ; je fais ; je sors ; il descend ; il trouve ;
il boit ; je mange ; il fait.

Exercice IV :

1. Écrivez en toutes lettres : 23, 34, 41, 57, 64, 75, 80, 82, 93, 100.

2. Additionnez 31 + 11 + 16 + 45.

3. Divisez 121 par 11.

4. Multipliez 71 par 5.

5. 100 − 34 − 25 − 10 = ?

6. 75 × 3 − 121 + 340 = ?

7. 64 ÷ 4 + 4 − 20 = ?

8. Quelle heure est-il ?

9 h. 45.	1 h. 30.	5 h. 50.
10 h. 20.	7 h. 25.	4 h. 10.
3 h. 5.	8 h. 35.	12 h. 0.

9. Écrivez en toutes lettres : 11, 15, 21, 48, 91, 200, 310, 401, 520, 604.

10. Composez une somme de dix nombres ; écrivez la somme en toutes lettres.

Exercice V.   Écrivez au pluriel

(Exemple : Je finis le morceau de sucre.

Nous finissons les morceaux de sucre) :

1. Je finis le morceau de sucre.
2. Le taxi va très vite.
3. J'appelle le fils.
4. L'enfant boit vite.
5. Elle saisit le sucrier.
6. Je mange le petit pain.
7. "Que fait-il?" demandes-tu.
8. Je sors de la maison.
9. Il prend la valise du père.
10. "Je suis sage aujourd'hui," répond-il.

Exercice VI.   Répondez aux questions :

1. Qui est assis devant vous ? derrière vous ?
2. Où est le chauffeur ?
3. Donnez le contraire de : furieux ; sur ; petit ; devant ; oui ; il sort ; elle descend ; je cherche ; il part.
4. Saisissez une chaise !
5. Comptez 1-100.
6. Quelle heure est-il ?
7. Ouvrez la porte et fermez deux fenêtres.
8. Donnez une chaise à un ami.
9. Que fait le klaxon du taxi ?
10. Nommez cinq objets sur la table à l'heure du petit déjeuner.
11. Quelle est la différence entre (a) un père et son fils (b) une valise et une malle ?
12. A quelle heure déjeunez-vous ?

Exercice VII.   (Exemple : Qu'y a-t-il dans une maison ?
Dans une maison il y a une salle à manger, une cuisine, etc., etc.) :

1. Qu'y a-t-il dans une maison ?
2. Qu'y a-t-il dans une salle à manger ?
3. Qu'y a-t-il dans une salle de classe ?
4. Qu'y a-t-il dans une cuisine ?
5. Qu'y a-t-il dans un placard ?
6. Qu'y a-t-il dans une chambre ?
7. Qu'y a-t-il dans un taxi ?
8. Qu'y a-t-il sur une table ?
9. Qu'y a-t-il dans un sac ?
10. Qu'y a-t-il dans une valise ?

Exercice VIII. Remplacez les tirets par la forme correcte de *du, de la, de l', des, de* (Exemple : L'enfant mange — pain. L'enfant mange *du* pain) :

1. L'enfant mange — pain, — sucre et — lait.
2. Le chauffeur pose — valises dans le taxi.
3. La dame n'a pas — enfants.
4. Où y a-t-il — beurre ?
5. Il y a — meubles dans la salle.
6. Madame Lépine a — bonnes choses dans son sac.

Exercice IX. Apprenez par cœur :

1. Page 199 (verbes).
2. Le Vocabulaire suivant :
   le fauteuil
   le lit
   le placard
   les meubles (*m.*)   les confitures (*f.*)
   la chambre   le miel
   la chose   le sucrier

MASCULIN	FÉMININ
sage	sage
furieux	furieuse
heureux	heureuse

Grammar Reference : Pages 198, 199.

XI. A LA GARE

Hon ! Hon !

Le taxi va vite, très vite. Il traverse la ville ;
il passe par de longues rues, devant de beaux
magasins.

Enfin il entre dans une grande rue droite et va
directement à la gare.

A la gare il y a beaucoup de voyageurs, des
messieurs, des dames et des enfants.

Les voyageurs portent de grandes valises, des
sacs, des livres, des journaux, etc.

Devant la gare il y a beaucoup de taxis, et beaucoup de voitures de toutes sortes.

Il y a aussi des porteurs avec de petits chariots.

Le taxi de la famille s'arrête devant la gare.

Monsieur Lépine, Madame Lépine, Paul, Bobette et Toto descendent du taxi. Monsieur Lépine
paye le chauffeur du taxi.

Un porteur arrive avec son petit chariot.

Il saisit les bagages de la famille, et pose les bagages sur le chariot. Puis il entre dans la gare.

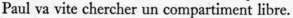

Voilà le train ! Le train est déjà là ; il est dans la gare.

Paul va vite chercher un compartiment libre.

Il ouvre la portière d'un compartiment de deuxième classe.

" Voici, Maman, un compartiment vide ! "

" Merci, mon fils," dit Madame Lépine.

Bobette arrive. " Maman, je ne trouve pas de compartiments vides ! "

" Voici, Bobette," dit Madame Lépine. " Monte, ma fille, avec Toto."

Bobette monte dans le compartiment vide. Elle met Toto dans un coin du compartiment à côté de la fenêtre.

Madame Lépine monte aussi dans le compartiment.

Paul ne monte pas dans le compartiment.

Il regarde la grande horloge de la gare. Papa **va** être en retard !

" Où est Papa, Maman ? " dit Paul. " Il est neuf heures vingt-cinq."

" Il va venir," dit Madame Lépine. " Il a son billet."

" Ah, voilà Papa ! " dit Paul.

Monsieur Lépine arrive avec le porteur, le petit chariot et les bagages.

Paul monte dans le compartiment. Le porteur passe les bagages à Paul. Monsieur Lépine paye le porteur. " Merci, Monsieur," dit le porteur. Monsieur Lépine monte dans le compartiment.

Neuf heures et demie ! Un coup de sifflet. Le train part. Peuf ! Peuf ! Peuf ! Il sort lentement de la gare.

" Bravo !   Bravo ! " disent les enfants. " Enfin nous partons ! Le voyage commence ! Nous partons ! "

" Boum ! Boum !! Boum !!! " fait Toto de son coin.

XI

Exercice I.   Écrivez au pluriel
(Exemple : Le taxi va vite.
                Les taxis vont vite) :

1. Le taxi va vite.
2. Il traverse la ville.
3. Il entre dans une grande rue.
4. Elle paye le chauffeur du taxi.
5. Un porteur arrive avec un petit chariot.
6. Il est dans la gare.
7. La petite fille monte dans un compartiment vide.
8. Elle pose l'enfant dans un coin.
9. Elle prend un billet.
10. Il regarde une grande maison.

Exercice II.   (Exemple : deux : *deuxième*) :

   1. trois.   2. quatre.   3. cinq.   4. six.   5. sept.
6. huit.   7. neuf.   8. dix.   9. onze.   10. douze.

Exercice III.   (Exemple : — compartiment — train.
                     Le compartiment *du* train) :

1. — compartiment — train.
2. — chariot — porteur.
3. — rue — ville.
4. — coin — compartiment.
5. — magasin — rue.
6. — billet — voyageur.
7. — table — salle à manger.
8. — fenêtre — salle de classe.
9. — père — famille.
10. — cuillère — mère.

Exercice IV. Complétez (Exemple : J'entre, tu entres,
　　　　etc.) :

　　1. j'entre. 2. j'ai. 3. je suis. 4. je paye. 5. je vais.
6. j'ouvre. 7. je pars. 8. je monte. 9. je commence.
10. je dis.

Exercice V.
　　(Exemple : Où est le chauffeur ?
　　　　　　Le chauffeur est dans le taxi) :

　　1. Où est le chauffeur ?
　　2. Où est la gare ?
　　3. Où est le train ?
　　4. Où est la famille ?
　　5. Où est la table ?
　　6. Où est le compartiment ?
　　7. Où est la mère de la famille ?
　　8. Où est le bol de lait ?
　　9. Où est la valise du père ?
　　10. Où est le chariot du porteur ?
　　11. Où est la grande horloge ?
　　12. Où sont les beaux magasins ?

Exercice VI. Remplacez les tirets par la forme con-
　　　　venable de *beau*, *bel*, *belle*, *beaux*, *belles* (Ex-
　　　　emple : Quel — voyage !　Quel *beau* voyage !) :

　　1. Quel — voyage !
　　2. La dame arrive avec son — enfant.
　　3. Le père a de — meubles dans sa chambre.
　　4. Il y a de — maisons dans la rue.
　　5. Voici mon — ami, Paul.
　　6. Regardez le — magasin.

Exercice VII.   Répondez :

1. Nommez cinq objets dans une gare.
2. Où y a-t-il de beaux magasins ?
3. Comment va le taxi ?
4. Qui arrive à la gare ?
5. Qui a un petit chariot ?
6. Quelle est la différence entre (*a*) une porte et une portière ; (*b*) une pendule et une horloge ?
7. Quelle heure est-il ?
8. Donnez le contraire de : vite ; petit ; monsieur ; il descend ; elle sort ; midi ; voici ; devant ; le fils ; elle commence.
9. Nommez les trois classes d'un train en France.
10. A quelle heure arrivez-vous dans la salle de classe ?
11. Où y a-t-il des taxis ?
12. Nommez des voitures de différentes sortes ; composez une phrase pour chaque voiture.

Exercice VIII. Dans les phrases suivantes, remplacez le
        tiret par la forme correcte de *du, de la, de l', des,*
        de (Exemple : La famille boit — lait. La
        famille boit *du* lait) :

1. La famille boit — lait.
2. Il n'a pas — sucre dans son café.
3. Madame Lépine cherche — bon beurre.
4. Buvez-vous — lait ?
5. Le porteur a — bagages sur son chariot.
6. Je demande — chocolat.
7. Dans la rue il y a — beaux magasins.
8. Je passe — pain à Papa.
9. — messieurs et — belles dames sont dans la rue.
10. Le porteur ne met pas — malles dans le comparti-
    ment.

Exercice IX. Apprenez par cœur :

MASCULIN	FÉMININ
le magasin	la ville
le coin	la rue
le train	la gare
le monsieur	la dame
le porteur	la portière
le voyageur	la voiture
le compartiment	une horloge
le billet	
le chariot	
le livre	
le journal	
le coup de sifflet	

Grammar Reference : Pages 200, 201.

XII. LE DÉJEUNER DANS LE TRAIN

(*Scène. Le compartiment du train. Monsieur et Madame Lépine, Paul, Bobette et Toto sont assis dans le compartiment.*)

PAUL. Ah ! Je suis si content. Il va vite, ce train, n'est-ce pas, Papa ?

MONSIEUR LÉPINE. Oui, mon fils ; c'est un rapide. Il fait 100 kilomètres à l'heure.

BOBETTE. Cent kilomètres à l'heure ! C'est beau ! J'adore ça !

M. LÉPINE. Oui, nous arrivons à St. Benoît à quatre heures et quart.

MADAME LÉPINE. Quelle heure est-il, Papa ?

M. LÉPINE. Il est onze heures juste.

MME LÉPINE. Voulez-vous manger, mes enfants?

PAUL ET BOBETTE. Oh, oui, Maman, s'il te plaît.

(*Madame Lépine ouvre un grand panier.*)

77

Mme Lépine   Un petit pain, Bobette ?   Paul ?

Bobette.   S'il te plaît, Maman.

Paul.   Merci, Maman.

Mme Lépine.   Un sandwich, mon ami ?   Bobette, une poire ou une pêche ?

Bobette.   Une poire pour moi, Maman, j'adore les poires.

Paul.   Cette pêche pour moi, Maman.

Toto.   Et moi, Maman ?

Mme Lépine.   Voici une madeleine pour Toto. Passe-moi la bouteille thermos et la petite timbale, Papa, s'il te plaît.

M. Lépine.   Je vais ouvrir la bouteille thermos. Voici la timbale.

> (*Madame Lépine donne à Toto du lait dans la timbale.*)

Mme Lépine.   Voici pour mon Toto.

Bobette.   Attention, Toto !   Donne-moi la timbale.   Là.   Bois, Toto.

> (*Toto boit du lait dans la timbale.*)

78

BOBETTE.   Cette poire est délicieuse, Maman.   Et le sandwich est si bon !

M. LÉPINE.   Oui, ce jambon est excellent.

MME LÉPINE.   En effet, il est très bon.   J'achète toujours mon jambon chez Potin.

M. LÉPINE.   Bobette !   Attention à Toto !   Cet enfant va tomber !

BOBETTE (*saisit* TOTO).   Là, Toto.   Reste tranquille et mange ta madeleine.

PAUL.   Maman, y a-t-il des gâteaux pour nous aussi ?

MME LÉPINE.   Oui, Paul ; j'ai quelques gâteaux. C'est pour le dessert.

BOBETTE.   Bravo !   Des tartes, Maman ?

MME LÉPINE.   Oui, Bobette, il y a deux tartes aux cerises.   Voici pour toi ; cette autre est pour Paul.

PAUL.   Oh, merci, Maman.   La bonne tarte ! J'aime beaucoup ces tartes aux fruits.

M. LÉPINE.   Quel bon déjeuner, ma chère !

MME LÉPINE.   Ce panier est très pratique, n'est-ce pas, mon ami ?

BOBETTE.   Moi, j'adore déjeuner dans le train !

TOTO (*frappe sa timbale*).   Toc !   Toc !   Toc !

XII

Exercice I. Écrivez la forme convenable de *ce, cet, cette, ces* devant les substantifs suivants (Exemple : rapide. *Ce* rapide : *ces* rapide*s*) :

rapide, kilomètre, enfant, pêche, panier, poire, jambon, billet, rue, ville, horloge, taxi, morceau, heure, cuillère, sucre, sac, déjeuner.

Exercice II. Quelle heure est-il ?

(1) 7 h. 45.   (3) 3 h. 10.   (5) 1 h. 30.
(2) 12 h. 5.   (4) 22 h. 0.   (6) 8 h. 25.

Additionnez :

(1) 35 + 79 + 100 + 92.
(2) 2 km. + 75 m. + 132 km. 10 m.
(3) 74 km. 10 m. + 342 m. + 17 km. 50 m.

Multipliez :

(1) 350 par 10.   (3) 745 m. par 5.
(2) 695 m. par 100.

Exercice III. Écrivez au pluriel (Exemple : Cet enfant est très sage. *Ces enfants sont* très *sages*) :

1. Cet enfant est très sage.
2. Il finit ce bon sandwich.
3. Je sors de la salle de classe.
4. J'achète un gâteau.
5. Où vas-tu, l'enfant ?
6. Veux-tu manger un bon gâteau ?
7. Il paye le chauffeur du taxi.
8. Je veux manger cette tarte délicieuse.

80

9. Le père achète un billet pour la famille.
10. Elle donne une madeleine à l'enfant.

Exercice IV.   Complétez par une petite phrase (Exemple :
       Je vais manger la tarte qui *est sur la table dans la*
       salle à manger) :

1. Je vais manger la tarte qui . . .
2. Le rapide, qui . . ., va à Paris.
3. Le jambon, qui . . ., est excellent.
4. La mère donne à l'enfant le lait qui . . .
5. Le voyageur donne ses valises au porteur qui . . .
6. La pêche, qui . . ., est excellente.
7. La maison, qui . . ., est la maison de la famille
   Lépine.
8. L'enfant, qui . . ., mange sa madeleine.
9. Je paye le chauffeur, qui . . .
10. Il regarde la dame, qui . . .

Exercice V.   Écrivez au négatif
   (Exemple : Il est sage.
           Il *n'*est *pas* sage) :

1. Il est sage.
2. J'achète du jambon chez Potin.
3. Mangez vite, mes enfants !
4. Il prend du sucre dans son café.
5. Il y a du lait dans la timbale.
6. La bouteille va tomber.
7. L'enfant veut rester tranquille.
8. Le dessert est très bon aujourd'hui.
9. La petite fille est très grande.
10. Ce monsieur est très bon ; il donne un pourboire au
    porteur.

Exercice VI. Remplacez les tirets par la forme convenable de *du, de la, de l', des, de* (Exemple : Elle mange — jambon. Elle mange *du* jambon) :

1. Elle mange ~~du~~ jambon.
2. J'achète ~~des~~ tartes.
3. Il boit ~~de~~ bon lait.
4. Je ne mange pas ~~de~~ beurre.
5. Monsieur demande ~~du~~ chocolat ?
6. Le porteur porte ~~des~~ bagages.
7. La dame cherche ~~de~~ bonnes poires.
8. La mère donne ~~des~~ cerises à l'enfant.

Exercice VII. Conjuguez complètement au singulier :

1. Je mange ma tarte.
2. Je bois dans ma timbale.
3. Je me lève.
4. J'achète mon billet.

Exercice VIII :

1. Apprenez par cœur le dialogue, pour le jouer dans la classe.

2. Apprenez par cœur le Vocabulaire suivant :

MASCULIN	FÉMININ
le dessert	la tarte
le gâteau	la madeleine
le fruit	la cerise
le sandwich	la pêche
le jambon	la poire
le panier	la bouteille (thermos)
le rapide	la timbale

Grammar Reference : Pages 201, 202

XIII. LE VOYAGE

Quatre heures moins dix !
Que fait la famille ?
Regardez !

Monsieur Lépine n'aime pas rester longtemps assis. Il se lève : il entre dans le couloir. Là, il fume une cigarette. Il ne fume pas dans le compartiment, parce que le compartiment n'est pas un compartiment de " Fumeurs."

Madame Lépine fait son tricot. Elle est assise à côté de Toto. Toto est sage : Toto est tranquille. Pourquoi ? Parce que Toto dort !

Paul lit un beau livre, un livre très intéressant. Le livre raconte les aventures d'Arsène Lupin. Oh oui, c'est un excellent livre. Les aventures d'Arsène Lupin sont merveilleuses. Paul est content ; il ne regarde pas le pays : il lit son livre.

Bobette n'aime pas rester tranquille. Elle sort du compartiment et va causer avec son père dans le couloir.

" Papa, à quelle heure arrivons-nous à St. Benoît, dis ? "

" A quatre heures et quart, ma fille," répond Monsieur Lépine. " Tu vois ce beau pays ? "

" Oh, oui, Papa," dit Bobette. " C'est vrai, il est très beau. Regarde cette belle ferme, et les vaches dans le pré ! Et ce joli village ! Et ce bel arbre ! "

" St. Benoît est plus joli que ça," dit Monsieur Lépine. " Mais il est quatre heures cinq, Bobette. Nous allons rentrer dans le compartiment pour descendre les bagages. Nous arrivons dans dix minutes."

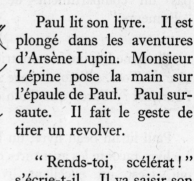

Paul lit son livre. Il est plongé dans les aventures d'Arsène Lupin. Monsieur Lépine pose la main sur l'épaule de Paul. Paul sursaute. Il fait le geste de tirer un revolver.

" Rends-toi, scélérat ! " s'écrie-t-il. Il va saisir son père.

Monsieur Lépine rit. " Bravo, Paul ! " Paul regarde son père. " Oh, pardon, Papa, pardon ! Je . . . Je . . ."

84

"C'est bien, mon fils," dit son père. "Mais ferme ton livre, vite ! Descends les bagages ; nous arrivons à St. Benoît."

Vite, Paul descend les bagages. Le train va plus lentement ; il arrive à une petite station. Bobette passe la tête à la fenêtre. "Oui, oui, Papa, c'est St. Benoît !" s'écrie-t-elle.

Le train s'arrête. "Prends Toto, Bobette, et descends vite," dit Monsieur Lépine.

Bobette descend avec Toto. Madame Lépine descend aussi. Monsieur Lépine passe les bagages à Paul.

Le long voyage est terminé.

XIII

Exercice I. (Exemple : — tricot — mère. *Le* tricot *de la* mère) :

1. — tricot — mère.	6. — billet — voyageur.
2. — épaule — enfant.	7. — chariot — porteur.
3. — tête — jeune fille.	8. — gâteau — famille.
4. — revolver — scélérat.	9. — livre — fils.
5. — cigarette — père.	10. — pré — ferme.

Exercice II. Écrivez au singulier (Exemple : Nous sommes très sages. *Je suis* très *sage*) :

1. Nous sommes très sages.
2. Ils prennent des valises.
3. Elles saisissent les enfants.
4. Nous regardons ces beaux arbres.
5. Descendez vite, mes enfants !
6. Nous mangeons de belles poires.
7. Elles parlent aux dames.
8. Ne dites pas ça aux enfants.
9. Nous aimons manger de beaux gâteaux.
10. Ils lisent les aventures des scélérats.

Exercice III. Remplacez les mots masculins par des mots féminins (Exemple : Le père aime son fils. *La mère* aime *sa fille*) :

1. Le père aime son fils.
2. Il est heureux.
3. Ils sont longs et merveilleux.
4. Ce beau gâteau est délicieux.
5. Voici le monsieur à qui il parle.

Exercice IV. Faites des définitions (Exemple : Le porteur *est un homme qui porte les bagages des voyageurs*) :

1. Le porteur. 2. Le chauffeur. 3. Le père. 4. Le fumeur. 5. Le voyageur. 6. Le rapide. 7. Le taxi. 8. Le chariot. 9. Le sucrier. 10. La pêche.

Exercice V. Trouvez le contraire de :

furieux ; le fils ; petit ; devant ; oui ; bonjour ; vite ; voici ; pourquoi ? ; ce monsieur ; le village ; terminé.

Exercice VI. Répondez :

1. Où est Toto ?
2. Pourquoi est-il sage ?
3. Que fait Madame Lépine ?
4. Qui aime le chocolat ?
5. Que fait le voyageur quand le train arrive dans la gare ?
6. Allez-vous vite ou lentement à la classe ?
7. A quelle heure finissez-vous les classes ?
8. Nommez dix objets que vous voyez dans une gare.
9. Nommez dix objets que vous voyez sur la table de la salle à manger à huit heures.
10. Aimez-vous les fruits ?
11. Qui est assis (1) à côté de vous, (2) devant vous, (3) derrière vous ?
12. Levez-vous !
13. Nommez trois bons gâteaux.
14. Où achetez-vous du chocolat ?

87

15. Aimez-vous les livres d'aventures ?
16. Dormez-vous dans la classe ?

Exercice VII. Remplacez les tirets par la forme convenable de *beau, bel, belle, beaux, belles* (Exemple : Je regarde ce — arbre. Je regarde ce *bel* arbre) :

1. Je regarde ce — arbre.
2. Il admire cette — dame.
3. Les — poires !
4. Donnez-moi ce — fruit, s'il vous plaît.
5. Cette mère a de — enfants.
6. Paul lit un — livre.
7. Les — dames sont dans le magasin.
8. Ce — enfant n'est pas sage.

Exercice VIII. Apprenez par cœur :

MASCULIN	FÉMININ
le pays	la ferme
un arbre	la vache
le pré	une épaule
le village	la main
le couloir	la tête
le fumeur	la cigarette
le scélérat	une aventure
le revolver	la station
le geste.	

Grammar Reference : Pages 201, 203.

RÉVISION

Exercice I. (Exemple : — ami — maison. *L'ami de la* maison) :

1. — ami — maison.
2. — heure — déjeuner.
3. — pendule — salle à manger.
4. — cuillère — enfant.
5. — chauffeur — famille.
6. — serviette — père.
7. — valise — voyageur.
8. — rue — ville.
9. — voiture — dame.
10. — portière — compartiment.
11. — horloge — gare.
12. — jambon — sandwich.

Exercice II. Écrivez au pluriel (Exemple : Je vais à la maison. *Nous allons aux maisons*) :

1. Je vais à la maison.
2. Cet enfant boit une tasse de lait.
3. Je paye le chauffeur.
4. Il veut manger ce gâteau.
5. Que dis-tu ?
6. Ce bel enfant aime la cerise.
7. Il s'arrête à la gare.
8. Donne-moi, s'il te plaît.
9. Ce monsieur finit une cigarette.
10. La bonne mère donne à l'enfant une tarte aux cerises.

Exercice III.   Quelle heure est-il ?

(1) 12 h. 0.   (5) 5 h. 30.   (8) 2 h. 25.
(2) 3 h. 15.   (6) 4 h. 5.   (9) 3 h. 50.
(3) 7 h. 10.   (7) 11 h. 45.   (10) 20 h. 0.
(4) 9 h. 40.

Exercice IV.   Écrivez au négatif (Exemple : Il aime les
    fruits.   Il *n*'aime *pas* les fruits) :

1. Il aime les fruits.
2. Nous commençons le déjeuner.
3. La dame entre dans la voiture.
4. Ce taxi va vite.
5. Elle appelle son père.
6. Avez-vous les billets ?
7. Il mange des tartes.
8. Il y a des roses dans le jardin.
9. Prenez-vous du sucre ?
10. Je me lève de mon coin.

Exercice V.   Écrivez la forme correcte de *ce, cet, cette, ces*
    devant :

enfant, fils, lait, ami, sucre, morceau, horreur, bagages,
mère, chariot, heure, malles, beurre, panier, poire, arbre,
village, livre, épaule, pays.

Exercice VI.   Répondez :

1. Nommez dix objets dans une ville.
2. Nommez dix objets à la gare.
3. Nommez dix objets dans la salle à manger.
4. Quelle heure est-il ?
5. A quelle heure vous levez-vous ?

6. A quelle heure arrivez-vous dans la classe ?

7. A quelle heure arrivez-vous à la maison pour le déjeuner ?

8. Comptez les personnes dans la salle de classe.

9. Que mangez-vous au petit déjeuner ?

10. Que buvez-vous au petit déjeuner ?

11. Aimez-vous les gâteaux ?

12. Qu'y a-t-il dans le sucrier ?

13. Qui est assis dans la classe (a) devant vous ; (b) à côté de vous ; (c) derrière vous ?

14. Lisez-vous des livres d'aventures ?

15. Y a-t-il de beaux magasins dans votre ville ?

16. Que dites-vous quand vous voyez une amie ?

17. Nommez les personnes dans la classe.

18. Donnez cinq livres à un ami.

19. Comptez 1-100.

20. Qui porte les bagages dans une gare ?

Exercice VII. Complétez par la forme correcte de l'adjectif possessif (Exemple : Je bois — café. Je bois *mon* café) :

1. Je bois — café.
2. Elle aime — père.
3. Il dit " Bonjour " à -- mère.
4. Je touche — épaules.
5. Il lit — livres.
6. Tu manges — poire.
7. Elle commence — tricot.
8. Le porteur arrive avec — chariot.
9. La dame monte dans — voiture.
10. La mère donne un morceau de sucre à — enfant.

Exercice VIII. (Exemple : — jambon — sandwich. *Le jambon du sandwich*) :

1. — jambon — sandwich.
2. — coup de sifflet — rapide.
3. — timbale — bouteille thermos.
4. — tricot — mère.
5. — fruit — arbre.
6. — épaule — monsieur.
7. — dessert — déjeuner.
8. — revolver — scélérat.
9. — jour — voyage.
10. — geste — enfant.
11. — tête — fils.
12. — maison — village.
13. — billet — voyageur.
14. — chariot — porteur.
15. — cigarette — fumeur.
16. — compartiment — rapide.
17. — lit — chambre.
18. — chauffeur — voiture.
19. — placard — cuisine.
20. — moment — départ.

Exercice IX.

1. Écrivez au pluriel : il est ; j'ai ; je prends ; tu vas ; il fait ; je pars ; il boit ; tu t'appelles ; il finit ; il sourit ; je paye ; je commence ; je mange ; tu veux ; il dit ; je me lève ; j'achète ; il saisit ; il a ; dis.

2. Écrivez ces verbes à l'interrogatif.

3. Écrivez ces verbes au négatif, singulier et pluriel.

Exercice X. (Exemple : Où est la pendule ? *La pendule est sur la cheminée*) :

1. Où est la pendule ?
2. Où est le chauffeur ?
3. Où est la chaise de l'enfant ?
4. Où est la vache ?
5. Où est le sucre ?
6. Où est la rue ?
7. Où est le beurre ?
8. Où est Toto (dans le compartiment) ?
9. Où est la serviette ?
10. Où est l'arbre ?

Exercice XI. Trouvez le contraire de :

j'entre ; tu fermes ; oui, Monsieur ; vite ; devant ; sur ; midi ; ici ; nous finissons ; la grande gare ; la petite pendule ; le père et le fils.

Exercice XII. Composez de petites définitions de (Exemple 1 : Le porteur *est un homme qui porte les bagages des voyageurs*) :

1. Le porteur. 2. Le chauffeur. 3. Le fumeur.
4. La pêche. 5. La poire. 6. La cerise. 7. Le rapide.
8. Le taxi.

Exercice XIII. Écrivez au féminin :

1. Le bon père est heureux.
2. Le grand monsieur n'est pas beau.
3. Il donne un gâteau à son beau fils.
4. Mon cher Papa !
5. Mon ami est furieux.
6. Ils sont gais.

Exercice XIV. Écrivez et additionnez :

(1) 74 + 35 + 21 + 16.   (3) 92 + 41 + 11 + 5.

(2) 53 + 14 + 61 + 19.   (4) 31 + 17 + 8 + 75.

(5) 52 + 93 + 80 + 46.

Exercice XV. Écrivez à la forme interrogative : (Exemple : Il est sage. *Est-il sage ?* ou, *Est-ce qu'il est sage ?*) :

1. Il est sage.
2. Elle regarde son amie.
3. Vous n'avez pas trois livres.
4. L'enfant boit son lait.
5. Le père fume une cigarette.
6. Nous aimons les fruits.
7. Il y a du sucre dans le sucrier.
8. Le porteur a les bagages.
9. Cette grande rue est très belle.
10. La petite fille mange une tarte délicieuse.

Exercice XVI. Répondez :

1. Aimez-vous le sucre ?
2. Que mettez-vous sur un petit pain ?
3. Où y a-t-il des taxis ?
4. Que mettez-vous dans le café ?
5. Aimez-vous faire un voyage ?
6. Comment vous appelez-vous ?
7. Que faites-vous quand vous allez faire un voyage ?
8. A quelle heure commencez-vous le petit déjeuner ?
9. Y a-t-il une pendule sur la cheminée ?
10. Combien de minutes y a-t-il dans une heure ?
11. Combien d'heures y a-t-il dans un jour ?
12. Chez qui achetez-vous du jambon, du café et du sucre ?

VOCABULAIRE

Le pique-nique

le panier
le pain
le beurre
le jambon
le sandwich
le dessert
le fruit
le gâteau
le couteau
la bouteille
la timbale
ouvrir
donner
passer
manger
boire

La rue

la maison
le magasin
le lycée
la gare
le taxi
la voiture
une automobile
un autobus
le camion
la camionette
le tramway
la bicyclette

Chez le fruitier

une orange
la pomme
la poire
la pêche
la prune
la cerise
la fraise
la framboise
la banane
un abricot
acheter
payer
le kilogramme
la livre
la pièce

A la pâtisserie

le gâteau
le chou à la crème
la madeleine
un éclair
la tarte aux cerises
la tarte aux fraises
la tarte aux framboises
la glace
le thé
goûter
manger
acheter

95

passer	payer
croiser	entrer (dans)
monter (dans)	sortir (de)
descendre (de)	

Le voyage

le train	la gare
le rapide	la locomotive
un omnibus	la malle
le voyageur	la valise
le porteur	la classe
les bagages (*m.*)	la place (libre)
le sac	la portière
le guichet	une arrivée
le billet	arriver
le compartiment	partir
le couloir	dire " au revoir "
le coin	agiter la main
le coup de sifflet	
le départ	

PETITES PHRASES

Nous partons aujourd'hui.

Comme je suis content !

Regardez l'heure !

Quelle heure est-il ?

5 La pendule sonne midi.

6 Voici le taxi qui arrive.

Un instant, s'il vous plaît !

C'est tout, Monsieur ?

Que fait-il ?

10 Des voitures de toutes sortes.

Vous allez être en retard.

Il sort du compartiment.

Il entre dans le couloir.

Ce rapide fait cent kilomètres à l'heure.

Il boit dans sa timbale.

J'achète tout chez Potin.

C'est un compartiment de " Fumeurs " ?

Est-ce que cette place est libre, Monsieur ?

Voulez-vous descendre ma valise, s'il vous plaît ?

Madame fait son tricot.

Aimez-vous les livres d'aventures ?

XIV. AU JARDIN

Le lendemain matin il fait beau, il fait du soleil.
Bobette se lève de bonne heure. Elle descend dans
le jardin. Car la famille va passer le mois d'août
à St. Benoît, à la ferme de Monsieur Baumugne.

"Tout un mois !" dit Bobette. "Je suis si
contente ! Aujourd'hui c'est vendredi, le premier
août. Alors nous avons quatre semaines et trois
jours à passer ici ! Oh, c'est beau !"

Madame Lépine descend aussi.

"Oui, ma petite," dit Madame Lépine. "Tout
un mois ! C'est beau."

Voici Paul qui arrive.

"Maman," dit Paul. "Il fait si beau aujourd'hui. Pouvons-nous déjeuner dans le jardin ?"

"Mais oui, mon fils," répond Madame Lépine.
"Pourquoi pas ? Il fait si beau."

Dans le jardin il y a une petite table. La famille

porte le déjeuner dans le jardin. Il fait beau dans le jardin : il fait chaud. Les roses sont en fleurs : elles ont un parfum délicieux.

Dans le jardin il y a aussi des ruches. Dans les ruches il y a beaucoup d'abeilles. Les abeilles volent çà et là, car il fait du soleil et elles aiment le soleil.

Mais les abeilles aiment aussi le sucre. Elles voient le sucre sur la table et elles arrivent.

Toto regarde les abeilles avec surprise.

" Oh, les jolies mouches jaunes ! " dit Toto. Toto veut toucher " les jolies mouches jaunes."

" Ne touche pas, Toto ! " s'écrie Bobette. "Attention! Elles piquent, les abeilles."

Voilà Monsieur Lépine qui arrive. Monsieur Lépine est content. " Bonjour, mes enfants, bonjour. Vous êtes contents, n'est-ce pas ? Ah, c'est bon de déjeuner au jardin, n'est-ce pas ? "

M. Lépine rit : il est très heureux. Il s'assied à la table.

" Comme tu sens bon, Papa," dit Bobette. " Oh, le beau parfum ! "

" Ah, ah," dit Paul. " C'est cette nouvelle brillantine que Papa met sur ses cheveux."

M. Lépine sourit. "Oui, mon fils ; en effet, c'est une excellente brillantine."

Oh, oui, la brillantine est excellente ; elle a un beau parfum ! Et les abeilles aiment les beaux parfums, oh oui !

Voilà les abeilles qui arrivent une — deux — trois — quatre — cinq — dix — quinze — vingt : elles se posent sur la tête de M. Lépine ; elles sont contentes, très contentes.

M. Lépine sursaute. "Mon Dieu ! ces abeilles — d'où viennent-elles donc ? "

M. Lépine sort son nouveau mouchoir — il agite son beau mouchoir — il saute — il danse !

Mais les abeilles arrivent : elles volent : elles tournent autour de M. Lépine. "Boum ! Boum ! " fait Toto. Il est content ; il rit. "Papa danse ! Boum ! Boum ! "

M. Lépine est furieux. Vite, il quitte la table, il court, il sort du jardin, il entre dans la maison.

C'est bon de déjeuner au jardin, n'est-ce pas ?

XIV

Exercice I. (Exemple : — heure — déjeuner. *L'*heure *du* déjeuner) :

1. — heure — déjeuner.
2. — rose — jardin.
3. — mouchoir — père.
4. — ferme — famille.
5. — parfum — brillantine.
6. — tête — monsieur.
7. — abeille — ruche.
8. — cheveux — dame.
9. — surprise — enfant.
10. — jour — semaine.

Exercice II. Répondez :

1. Où passez-vous le mois d'août ?
2. Combien de jours y a-t-il dans une semaine ?
3. Combien de jours y a-t-il dans le mois (1) de janvier, (2) de février, etc. ?
4. Combien de jours y a-t-il dans cet an ?
5. Fait-il beau aujourd'hui ?
6. Vous levez-vous de bonne heure ?
7. A quelle heure vous levez-vous ?
8. Avez-vous un jardin chez vous ?
9. Quelle date est-ce aujourd'hui ?
10. Aimez-vous déjeuner au jardin ?

Exercice III. Mettez *ce; cet, cette, ces* devant :

matin, soleil, jour, rose, fleur, mouche, abeille, ruche, cheveux, brillantine, semaine, mois, an, mouchoir, ferme, arbre, vache, pré, sucre, beurre.

Exercice IV. Écrivez au pluriel :

elle sourit, elle boit, elle voit, elle fait ; je prends, je viens, je peux, je veux ; tu dis, tu fais, tu achètes, tu lis ; il s'assied, il sent, il sort, il finit.

Exercice V. Répondez :

1. Où est l'abeille ?   6. Où est le jardin ?
2. Où est la ruche ?   7. Où est la pendule ?
3. Où est la mouche ?   8. Où est le beurre ?
4. Où est le sucre ?   9. Où est le livre ?
5. Où est la table ?   10. Où est l'arbre ?

Exercice VI. Écrivez en toutes lettres (Exemple :
        7.ii.1905. *Le sept février, dix-neuf cent cinq*) :

(1) 7.ii.1905.   (5) 25.xii.1937.
(2) 1.viii.1936.   (6) 1.i.1935.
(3) 11.xi.1918.   (7) 5.v.1900.
(4) 15.vi.1815.   (8) 14.vii.1789.

Exercice VII. Remplacez les tirets par la forme con-
        venable de *nouveau, nouvel, nouvelle, nouveaux,
        nouvelles* (Exemple : Le — an.   Le *nouvel* an) :

1. Le — an.   5. Le — monde.
2. Son — ami.   6. Un — homme.
3. Ce — exemple.   7. Des voitures —.
4. Mon — parfum.   8. Les — livres.

Exercice VIII. Apprenez par cœur :

1. Les jours de la semaine et les mois de l'an.
2. Le Présent de l'Indicatif de : venir. pouvoir, vouloir.

Grammar Reference : Pages 203, 204, 205.

XV. LA VISITE DES ANIMAUX

PAUL. Bonjour, Monsieur Baumugne. Quelle belle journée, n'est-ce pas ?

MONSIEUR BAUMUGNE. Mais oui, mes enfants, mais oui. Voulez-vous venir avec moi voir nos animaux ?

BOBETTE. Oh, oui, Monsieur, merci. J'adore les animaux.

PAUL. Quels animaux avez-vous à la ferme, Monsieur ? Pouvons-nous voir tous vos animaux ?

M. BAUMUGNE. Certainement, si vous voulez. Venez voir les vaches. Elles vont sortir pour aller au pâturage.

BOBETTE. Quelles belles vaches, Monsieur ! J'aime cette grande vache brune ; elle est si belle ! Elle a de beaux yeux doux.

PAUL. Pourquoi porte-t-elle cette grosse cloche, Monsieur ?

M. Baumugne.   Elle porte la cloche parce qu'elle est le chef du troupeau.

La Vache.   Beu-eu-eu-eu !

Bobette.   Elle est très contente de porter la grosse cloche, n'est-ce pas ?

M. Baumugne.   Oh, oui ; elle aime ça.

   (*La cloche sonne.*)

Paul.   Elle dit : " Je suis le chef du troupeau," n'est-ce pas ?

M. Baumugne.   Voulez-vous voir aussi nos porcs ?

Bobette.   Oh, je n'aime pas les porcs, moi !

Paul.   Pourquoi ?   Ce sont des animaux tout comme les vaches, n'est-ce pas, Monsieur ?

M. Baumugne.   Venez voir, Mademoiselle ; c'est une jolie petite famille que vous allez voir, une petite famille de onze porcelets !

Bobette.   Oh, les petits mignons !   Ils sont très jolis, Monsieur !   Regarde, Paul, leurs petites

queues ! Sont-ils amusants ! C'est une délicieuse petite famille, Monsieur, votre famille de porcelets.

M. BAUMUGNE. Si vous aimez les petites familles, Mademoiselle, venez voir nos petits poussins.

BOBETTE. Oh, avez-vous aussi de petits poussins ? J'adore les petits poussins.

M. BAUMUGNE (*entre dans la cour*). Là, regardez, Mademoiselle. (*Il montre une grosse poule blanche avec douze petits poussins blancs et jaunes.*) Voilà une mère qui est fière de sa famille !

MADAME LÉPINE (*arrive vite*). Où est donc Toto, mes enfants ? Je cherche Toto. Est-il avec vous ? Cherchez Toto ; il n'est pas là ! Vite ! Vite !

BOBETTE. Mais oui, Maman ! Viens, Paul. Au revoir, Monsieur, et merci.

PAUL (*court après Bobette*). Merci, Monsieur ; au revoir.

XV

Exercice I. Écrivez au féminin

(Exemple : Ce monsieur est très fier. *Cette dame* est
très *fière*) :

1. Ce monsieur est très fier.
2. Papa est doux.
3. Quel beau jour !
4. Ils sont gros.
5. Le père aime son beau fils.
6. Le coq est blanc.
7. Ces messieurs ne sont pas bons.
8. Mon ami n'est pas heureux.

Exercice II. Conjuguez complètement

(Exemple : *J'aime mon père*, etc. : *nous aimons nos
pères*, etc.) :

1. J'aime mon père.
2. Je mange ma poire.
3. J'aide mon ami.
4. Je vois ma maison.
5. Je m'arrête.

Exercice III. Remplacez les tirets par la forme convenable de *quel, quelle, quels, quelles*

(Exemple : — livre lisez-vous ?
Quel livre lisez-vous ?) :

1. — livre lisez-vous ?
2. — tartes achetez-vous ?
3. — cuillère a-t-il ?
4. — enfants viennent ?
5. Dans — maison entrez-vous ?
6. — jour partent-ils ?

7. — heure est-il ?
8. Dans — compartiment montez-vous ?
9. — fruit voulez-vous ?
10. Dans — rue y a-t-il de beaux magasins ?

Exercice IV. Écrivez en toutes lettres les dates suivantes :

(1) 23.iii.1897.   (5) 2.v.1927.
(2) 12.x.1492.   (6) 1.ii.1900.
(3) 27.vii.1915.   (7) 15.viii.1911.
(4) 17.iii.1902.   (8) 16.xii.1936.

Exercice V. Écrivez au pluriel
(Exemple : Tu es. *Vous êtes*) :

j'ai ; je mange ; je commence ; je jette ; je vois ; tu es ; tu dis ; tu prends ; tu dors ; tu vas ; il paye ; il fait ; il lit ; il saisit ; il est.

Exercice VI. Écrivez au négatif
(Exemple : Je pars aujourd'hui.
               Je *ne* pars *pas* aujourd'hui) :

1. Je pars aujourd'hui.
2. Voyez-vous cette belle voiture ?
3. A-t-il ce livre ?
4. Il fait beau ce matin.
5. Je me lève de bonne heure.
6. Le fermier va à la ville.
7. Le mois de février a trente jours.
8. Elle est fière.
9. Avez-vous des sœurs ?
10. Cette pendule est correcte.

Exercice VII.   Répondez :

1. Aimez-vous les animaux ?
2. Que donne la vache ?
3. Où y a-t-il des vaches ?
4. Fait-il beau aujourd'hui ?
5. Quelle est la différence entre un porc et un porcelet ?
6. Quelle est la différence entre une poule et un poussin ?
7. Nommez des parties d'un animal.
8. Que donne le porc ?
9. Où voyez-vous des poules ?
10. De quelle couleur est votre mouchoir ?

Exercice VIII :

1. Écrivez six phrases sur " La Ferme."
2. Apprenez par cœur :

un animal (*pl.* animaux)	la cloche
le pâturage	la queue
le troupeau	la poule
le chef	
le porc	
le poussin	

Grammar Reference : Pages 205, 206, 207.

XVI. LES CANARDS

Où est Toto ?   Où est-il ?
Voici Toto.   Où va-t-il ?

Toto va vers l'étang !   Cet étang est près de la cour.
L'eau de l'étang est très belle ; elle est claire.

Un joli petit ruisseau se jette dans l'étang.   Il
descend de la montagne et tombe en cascade dans
l'étang.

Dans l'étang nagent des canards blancs.   Comptez les canards — il y a un, deux, trois, quatre, cinq,
six, sept, huit, neuf, dix canards.   Oh, qu'ils sont
jolis, les canards !   Ils nagent dans l'étang ; ils
plongent ; ils cherchent de petites bestioles au fond
de l'eau.

Et quand ils plongent, ils battent l'eau avec
leurs petites pattes jaunes.   Qu'ils sont beaux, les
canards !

Les canards ont une petite maison dans la cour.
Le matin, à huit heures, ils sortent de la petite
maison et descendent à l'étang.   Ils passent la
journée à l'étang ; ils nagent, ils plongent dans
l'eau ; ils sont contents ; ils font " Coin !   Coin ! "

Toto n'est pas sage aujourd'hui.   Où est-il ?
Il est là, derrière la petite maison des canards.

Les canards sortent de la petite maison. "Coin!
Coin! Coin! Coin!" font les canards.

Les canards se mettent en file indienne pour
descendre à l'eau, un, deux, trois, quatre, cinq,
six, sept, huit, neuf, dix canards.

Ah! voilà Toto! Toto sort de derrière la
petite maison! Il lance un cri de triomphe.
"Holà! les canards! Holà! les canards! Psitt!
Psitt!"

"Coin! Coin!" font les canards. "Coin!
Coin!" Les canards ont peur, très peur. Ils
battent des ailes; ils ne marchent plus en file
indienne; non, non, ils courent, ils volent, ils ont
peur, très peur!

Toto court après les canards. "Psitt! Psitt!"
fait-il. "Hop! Hop! les canards!"

Vite, vite, les canards courent; ils volent vers

l'étang. Ils arrivent à l'eau ; là, ils plongent, ils nagent, ils nagent vite, loin du bord.

Toto court vite, vite ! Hélas ! Il ne peut s'arrêter. Il arrive au bord de l'eau — il chasse les canards —

Floc ! Un jet d'eau sort de l'étang ! Qu'est-ce que c'est ?

C'est Toto qui tombe dans l'eau ! Hélas ! Hélas !

A ce moment Bobette sort de la cour. Où est Toto ? Où est-il ? Elle voit le jet d'eau, elle court vite, vite ! " Ah, mon Toto, que fais-tu là, dans l'eau ? "

Heureusement, l'eau de l'étang n'est pas très profonde. Toto se dresse. Il est couvert de boue ; il a les cheveux, les yeux pleins de boue ! Pauvre Toto !

Toto regarde les canards avec surprise. " Psitt ! les canards ! " dit Toto.

XVI

Exercice I. (Exemple : — jour — semaine. *Le* jour *de la* semaine) :

1. — jour — semaine.
2. — chef — troupeau.
3. — bord — ruisseau.
4. — aile — canard.
5. — patte — poule.
6. — queue — porc.
7. — fond — étang.
8. — lait — vache.
9. — parfum — fleur.
10. — mois — an.

Exercice II. Écrivez au pluriel :

je nage, je dors, je veux, je me jette, je lance ; tu dis, tu t'appelles, tu es, tu fais, tu sens ; il bat, il prend, il court, il se lève, il saisit.

Exercice III. Trouvez le contraire de :

sur ; devant ; près de ; ici ; vite ; bonjour ; le fils ; midi ; le coq ; il descend.

Exercice IV. Conjuguez complètement :

1. Je pars avec mon ami.
2. Je regarde ma mère.
3. Je me lève de ma place.
4. Je tire mon revolver.
5. Je mange ma poire.

Exercice V.

1. Écrivez les jours de la semaine.
2. Écrivez les mois de l'an.
3. Quelle heure est-il ?
4. Quelle est la date aujourd'hui ?

Exercice VI.   Répondez :

1. Combien de jours y a-t-il dans une semaine ?
2. Combien de jours y a-t-il dans un an ?
3. Combien de canards y a-t-il dans l'étang ?
4. Combien de personnes y a-t-il dans la classe ?
5. Combien d'heures y a-t-il dans un jour ?
6. Combien d'abeilles y a-t-il sur la Page 100 ?

Exercice VII.   Répondez :

1. Comment est l'eau de l'étang ?
2. Qu'y a-t-il au fond de l'étang ?
3. Y a-t-il un lac près de cette ville ?
4. Comment sont les canards ?
5. Que font les canards ?
6. Aimez-vous les canards ?
7. Où est la maison des canards ?
8. Nommez des parties d'une personne.
9. Pourquoi Toto tombe-t-il dans l'eau ?
10. Aimez-vous nager et plonger ?

Exercice VIII.   Complétez les définitions :

1. Une cascade est de l'eau qui . . .
2. Toto est un enfant qui . . .
3. Un taxi est une voiture qui . . .
4. Un jet d'eau est de l'eau qui . . .
5. Une vache est un animal qui . . .
6. Une rose est une fleur qui . . .
7. Un porc est un animal qui . . .
8. Un rapide est un train qui . . .

Grammar Reference : Pages 207, 208.

H

XVII. LE VILLAGE

Près de la ferme de Monsieur Baumugne est le village de Saint Benoît. Les enfants aiment beaucoup aller au village.

Le village a une longue rue droite et blanche. Dans cette longue rue blanche demeure le boulanger qui fait le pain — le pain blanc, le pain bis et les petits pains. Monsieur Dandin est le boulanger qui fait le pain du village.

Dans la boulangerie de Monsieur Dandin tout est blanc. Sur le comptoir il y a des corbeilles pleines de petits pains ; derrière le comptoir il y a de grands pains, très longs et très bruns ; c'est du pain bis. Ces grands pains sont en longues rangées. Monsieur Dandin a sur le comptoir un long couteau pour couper les grands pains bruns.

Monsieur Dandin est très grand et très gros ; il est très bon ; il est " bon comme le pain blanc." Les enfants aiment beaucoup Monsieur Dandin.

Près de la boulangerie est l'épicerie du village. Dans l'épicerie il y a beaucoup de bonnes choses — du chocolat, du sucre, des biscuits, du miel, des bonbons. Madame Jeanne Desmoulins tient l'épicerie. Elle aime les enfants ; elle est très bonne.

Madame Jeanne a une grande famille ; elle a cinq fils et deux filles. Le fils aîné, c'est Claude, le berger, qui aide Monsieur Baumugne ; il aime les animaux et il est très heureux à la ferme.

Plus loin, c'est l'auberge du village. Devant l'auberge il y a quelques petites tables rondes, peintes en vert, et des chaises peintes en vert aussi, et au-dessus de chaque petite table il y a un grand parasol rouge. Les enfants admirent beaucoup ces parasols et regardent avec envie les petites tables qui sont devant l'auberge.

A la porte de l'auberge se tient Monsieur Legros, l'aubergiste. Monsieur est très gros ; sa figure est large et rouge ; ses yeux sont noirs ; sa voix est profonde et il rit beaucoup, ho ! ho ! ! ho ! ! ! Il est toujours gai ; il parle beaucoup, et quand il ne parle pas, il rit.

Oh, oui, Monsieur Legros est la personne la plus importante du village !

XVII

Exercice I. Écrivez *ce, cet, cette, ces* devant (Exemple :
enfant. *Cet* enfant) :

enfant, main, épaule, sucre, beurre, café, lait, étang,
eau, bord, canards, arbre, ferme, rapide, gare, mur, poire,
cerises, pêche, bouteille.

Exercice II. Écrivez à la forme interrogative (Exemple :
Tout est blanc. *Tout est-il blanc ?*) :

1. Tout est blanc.
2. Il y a des corbeilles sur le comptoir.
3. Le village a une longue rue droite.
4. Les enfants aiment aller au village.
5. Madame Jeanne tient l'épicerie.
6. Vous voulez passer le sucre.
7. C'est du pain bis.
8. Il aime les animaux.
9. M. Legros est la personne la plus importante du
   village.
10. Je porte mon déjeuner au jardin.

Exercice III. Écrivez au pluriel :

je plonge, je lance, je m'écrie, j'achète, je suis, je
paye ; tu tiens, tu vois, tu peux, tu cours, tu veux, tu
jettes, tu te lèves ; il tient, il lève, il a, il va, il bat, il dit,
il s'assied.

Exercice IV. Quelle heure est-il ?—

(1) 10 h. 10.   (3) 12 h. 0.   (5) 9 h. 15.   (7) 1 h. 30.
(2) 7 h. 45.   (4) 3 h. 30.   (6) 20 h. 20. (8) 5 h. 55.

116

Exercice V.   Écrivez au féminin (Exemple : Mon ami est heureux.   *Mon amie* est *heureuse*) :

1. Mon ami est heureux.
2. Cet homme est très doux.
3. Ils sont fiers.
4. Ce gros monsieur est très bon.
5. Le fils donne le coq blanc à son père.
6. Quel beau jour !
7. Le premier n'est pas nouveau.
8. Il est merveilleux.
9. Ils sont longs.
10. Ils partent tous.

Exercice VI.   Dans les phrases suivantes, remplacez les tirets par *du, de la, de l', des*, ou *de* (Exemple : Il y a — sucre dans le sucrier.   Il y a *du* sucre dans le sucrier) :

1. Il y a — sucre dans le sucrier.
2. Avez-vous — bon beurre, Madame ?
3. Il n'y a pas — lait dans la bouteille.
4. Donnez-moi, s'il vous plaît, — chocolat ou — café noir.
5. A la ferme nous voyons — vaches, — porcelets et — petits poussins.
6. Je n'ai pas — bonbons.
7. Il n'y a pas — placard dans ma chambre.
8. Cette dame a-t-elle — beaux meubles ?
9. Vous dites qu'il n'y a pas — pain blanc pour le déjeuner ?   Alors donnez — pain bis.
10. Cette femme n'a pas — bagages.

Exercice VII. Écrivez au pluriel (Exemple : Ce journal est très bon. *Ces journaux sont* très *bons*) :

1. Ce journal est très bon.
2. L'eau de cet étang est claire.
3. Le bel arbre est devant la ferme.
4. Ce petit pain est très blanc.
5. Le nouvel exercice n'est pas long.
6. Le ruisseau tombe dans l'étang.
7. Son père est très grand.
8. Mon ami aime beaucoup sa mère.
9. Je me jette à l'eau et je nage vite.
10. Il va aujourd'hui au jardin de la ville.

Exercice VIII. Répondez :

1. Qu'est-ce qu'un boulanger ?
2. Où le boulanger demeure-t-il ?
3. Quelle est la différence entre le pain blanc et le pain bis ?
4. Pourquoi M. Dandin a-t-il un grand couteau ?
5. Que trouvez-vous dans une épicerie ?
6. Qui tient l'épicerie du village ?
7. Combien d'enfants Madame Jeanne a-t-elle ?
8. Combien d'enfants y a-t-il dans votre famille ?
9. Qu'y a-t-il devant l'auberge ?
10. Comment est Monsieur Legros ?

Grammar Reference : Page 208.

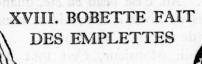

XVIII. BOBETTE FAIT
DES EMPLETTES

Scène I

(Scène — La boulangerie. Bobette entre.)

Bobette. Bonjour, Monsieur.

Monsieur Dandin. Bonjour, Mademoiselle.
Qu'y a-t-il pour votre service ce matin ?

Bobette. S'il vous plaît, Monsieur, donnez-moi
douze petits pains bien frais.

M. Dandin. Voilà, Mademoiselle ; vous voyez,
ils sont tout frais ; ils sortent justement du four.
Regardez, ils sont encore tout chauds.

Bobette. C'est vrai, Monsieur. Qu'ils sentent
bon ! J'adore les petits pains chauds !

M. Dandin. C'est tout, Mademoiselle ?

Bobette. Oh, non, Monsieur. Donnez-moi aussi
deux livres de pain bis, s'il vous plaît.

M. Dandin. Tiens ! Vous mangez du pain bis ?
Il y a des personnes qui viennent de la ville et
qui n'aiment pas le pain bis.

Bobette. Et pourquoi donc ? C'est stupide. Le
pain bis est excellent ; mon père dit que c'est
très bon pour nous.

M. Dandin. C'est vrai, Mademoiselle. Vous êtes
ici pour longtemps ?

Bobette. Pour tout le mois d'août, Monsieur.
C'est beau, n'est-ce pas ?

M. Dandin. Ah, c'est beau en été, quand il fait beau, mais en hiver il fait froid et nous avons beaucoup de neige. C'est tout ?

Bobette. Oui, Monsieur, c'est tout pour aujourd'hui, merci. C'est combien ?

M. Dandin. C'est cinq francs cinquante en tout, Mademoiselle ; trois francs pour les petits pains, deux francs cinquante pour le pain bis. Merci, c'est bien ça.

Bobette. Au revoir, Monsieur.

M. Dandin. Au revoir, Mademoiselle, et merci.

Scène II

(Scène — L'épicerie. Bobette entre.)

Bobette. Bonjour, Madame Jeanne.

Madame Jeanne. Bonjour, Mademoiselle. Quelle belle journée il fait ! St. Benoît vous plaît ?

Bobette. Mais oui, Madame, beaucoup !

Mme Jeanne. Et c'est vous qui faites les commissions pour votre Maman ?

Bobette. Oh, oui, Madame. J'adore ça.

Mme Jeanne. C'est bien, Mademoiselle, c'est très bien. Et que désirez-vous aujourd'hui ?

Bobette. Un kilogramme de sucre, Madame, s'il vous plaît.

MME JEANNE.   Du sucre pour la table, Mademoiselle ?

BOBETTE.   Oui, Madame.

MME JEANNE.   Voici, Mademoiselle.   C'est tout ?

BOBETTE.   Non ; avez-vous du miel ?

MME JEANNE.   Oui, Mademoiselle, voici un miel excellent ; il est du pays tout près d'ici.   Ce miel est délicieux ; il est très parfumé.   Vous aimez le miel, Mademoiselle ?

BOBETTE.   Oh, oui ; nous mangeons beaucoup de miel.   Mon petit frère Toto adore le miel.

MME JEANNE.   C'est très bon pour les enfants, le miel, Mademoiselle.   Vous avez un petit frère ?   Quel âge a-t-il ?

BOBETTE.   Il a trois ans et demi, Madame ; il est mignon ; il est *si* sage !

MME JEANNE.   Prenez quelques bonbons pour votre petit frère, Mademoiselle.   Les enfants aiment beaucoup les bonbons, n'est-ce pas ?

BOBETTE.   Oh, que vous êtes bonne, Madame Jeanne !   Merci beaucoup.   Toto va être content !   C'est combien, le sucre et le miel, Madame ?

MME JEANNE.   Quatre francs vingt, le sucre ; six francs le pot de miel ; dix francs vingt en tout, Mademoiselle.

BOBETTE.   Voici, Madame, et merci beaucoup pour les bonbons.   Bonjour, Madame.

MME JEANNE.   Au revoir, Mademoiselle, au revoir.

XVIII

Exercice I.

(Exemple : — épicerie — ville.

*L'*épicerie *de la* ville) :

1. — épicerie — ville.	6. — auberge — village.
2. — commission — mère.	7. — pâturage — ferme.
3. — four — boulangerie.	8. — cloche — vache.
4. — comptoir — magasin.	9. — triomphe — chef.
5. — couteau — père.	10. — bord — eau.

Exercice II.   Conjuguez complètement :

1. Je fais les commissions pour ma mère.
2. Je vais dans mon jardin.
3. Je mange mon bonbon.
4. Mon ami est heureux.
5. Je me tiens devant ma maison.
6. Je coupe mon pain avec mon couteau.

Exercice III.   Calculez :

1. 5 kg. de beurre à 20 fr. le kg.
2. 8 petits pains à 25 ct.

3. 15 pêches à 1 fr. 25.
4. 5 livres de pain bis à 1 fr. 25 la livre.
5. 10 tartes aux cerises à 75 ct.
6. 12 madeleines à 50 ct.

Exercice IV.   Écrivez au négatif
(Exemple : Elle fait des emplettes.
                    Elle *ne* fait *pas d'*emplettes) :

1. Elle fait des emplettes.
2. Ils sentent bon.
3. Vous mangez du pain bis ?
4. C'est tout ?
5. Vous avez un petit frère ?
6. Elle aime les enfants.
7. C'est vrai, Madame !
8. Il y a de bonnes choses sur le comptoir.
9. Monsieur Dandin tient l'épicerie.
10. La dame désire du sucre.

Exercice V.   Donnez le **contraire** de :

   sur ; en été ; Monsieur ; asseyez-vous ; petit ; il fait
chaud ; le pain bis ; une grande personne ; midi ;
entrez.

Exercice VI.   Écrivez au pluriel :

   je me lève, je fais, je vais, je mets, je sens, je commence, je mange, je dors ; il tient, il prend, il rit, il part,
il est, il s'arrête, il finit ; dis ; viens ; entre ; sors ; bois.

Exercice VII. Écrivez un petit dialogue dans un magasin
           de village.

Exercice VIII. Répondez :

1. Quel âge avez-vous ?
2. Nommez les jours de la semaine, les mois de l'an et les quatre saisons.
3. Fait-il froid en été ?
4. Aimez-vous les bonbons ?
5. Quel âge votre ami a-t-il ?
6. Quelle est la différence entre un porteur et une portière ?
7. Fait-il beau aujourd'hui ?
8. Quelle est la date aujourd'hui ?
9. Nommez de bonnes choses.
10. Qui est la personne la plus importante de votre ville ?

Grammar Reference : Pages 208, 209.

XIX. L'AMI BAUDET

Voici un vieil ami des enfants. C'est Baudet, l'âne
de la ferme. Baudet est gris ; il a de longues
oreilles pointues ; il a un air de grande sagesse.
Car il est vieux ; il est fatigué ; il aime rester tranquille ; il ne veut pas travailler, oh, non !

Les enfants aiment beaucoup Baudet. Mais
Baudet n'aime pas les enfants ; il les déteste. Car
ils aiment monter sur son dos, et Baudet, qui est
paresseux, ne veut pas les porter.

D'abord c'est Paul qui monte sur Baudet. Mais
Baudet ne l'aime pas ; il va lentement. Paul s'impatiente ; il descend, et Baudet, très content,
s'en va.

Puis c'est le tour de Bobette. Baudet n'aime pas Bobette ; il ne veut pas la porter ; il plante là ses petits pieds et ne veut pas bouger. Bobette descend. "Va-t'en, Baudet ; tu m'agaces," dit Bobette. "Je te déteste."

Enfin c'est le tour de Toto ! Toto est très content. Il est très fier de monter sur le dos de Baudet ; il n'a pas peur, non, non ! Il l'aime beaucoup, ce bon Baudet !

"Hue ! Baudet ! Hue ! Hue ! " fait Toto.

Toto le frappe de ses deux petits poings. Et Baudet s'en va de son petit pas égal le long du chemin qui passe devant la ferme. Toto est très content.

"Regarde-moi, Maman ! Regarde-moi ! Hue, Baudet, hue ! "

Baudet n'est pas content ; il est furieux. Comme il est furieux ! Que va-t-il faire ? Toto ne veut pas descendre ; il est heureux comme un roi. Mais Baudet est vieux et rusé, très rusé. Que fait-il ?

Il prend le petit chemin qui descend à l'étang des canards. Il va doucement, de son petit pas égal. "Hue ! Hue ! " fait Toto.

Et Baudet arrive au bord de l'eau. Doucement, très doucement il baisse la tête. Doucement, très doucement, Toto glisse — glisse — Floc !

Oh, le joli jet d'eau ! Pour la deuxième fois,
Toto tombe dans l'étang des canards.

" Coin ! Coin ! ! Coin ! ! ! " font les canards.
Oh, l'étrange animal, qui plonge là, dans l'eau !
Regardez-le, les canards !

Mais que fait Baudet ?

Baudet se cabre, il saute, il danse ! Comme il
est content ! Et puis, bonsoir ! Baudet s'en va
au galop, s'amuser dans le pré.

XIX

Exercice I.   Écrivez l'article indéfini et la forme correcte
de *vieux, vieil, vieille* devant (Exemple : ami.
Un vieil ami) :

ami, taxi, roi, âne, livre, village, corbeille, scélérat,
arbre, dame.

Exercice II.   Écrivez au négatif
(Exemple : Elle est là.
Elle *n*'est *pas* là) :

1. Elle est là.
2. Baudet veut bouger.
3. Il est obligé de porter les
   enfants.
4. L'âne fait 100 km. à l'heure.
5. Les porcelets nagent dans l'étang.
6. M. Dandin se tient devant sa porte.
7. Madame Lépine tient l'épicerie du village.
8. Paul lit son livre.
9. M. Lépine déjeune au jardin.
10. Le canard est sur la chaise.

Exercice III.   Dans les phrases suivantes, remplacez les
substantifs par des pronoms
(Exemple : Baudet porte les enfants.
Il les porte) :

1. Baudet porte les enfants.
2. La mère donne le petit pain.
3. Paul a une grande corbeille.

4. Les enfants frappent l'âne.
5. La vache baisse la tête.
6. M. Lépine regarde un livre.
7. Baudet plante là ses petits pieds.
8. Baudet n'aime pas les enfants.
9. Je ne mange pas le gâteau.
10. Les enfants ne commencent pas l'exercice.

Exercice IV.   Écrivez au pluriel :

j'agace ; je m'impatiente ; je travaille ; je m'en vais ;
je déteste ; je bois ; je mange ; je veux ; je finis ; je dors ;
je sors ; il dit ; il va ; il se cabre ; il met ; il se lève ; il
s'assied ; il tient ; il fait ; il voit.

Exercice V.   Complétez les phrases suivantes par une
          description :

1. L'âne est un animal qui . . .
2. La vache est un animal qui . . .
3. Le porc est un animal qui . . .
4. La poule est un oiseau qui . . .
5. Le canard est un oiseau qui . . .
6. Le chauffeur est un homme qui . . .
7. Le porteur est un homme qui . . .
8. Le fumeur est un homme qui . . .

Exercice VI.   Calculez et écrivez en toutes lettres :

1. $75 + 100 + 93 = ?$
2. $48 \times 7 + 74 = ?$
3. 15 fr. 50 + 45 fr. 75 + 73 fr. 30 = ?
4. 225 km. + 515 km. + 121 km. = ?
5. 13 fr. 45 + 15 fr. + 8 fr. 60 + 10 fr. 75 = ?

I

Exercice VII.   Répondez :

1. Combien de poings avez-vous ?
2. Quelle est la différence entre un animal et un oiseau ?
3. Où voyez-vous un âne ?
4. Combien de pieds un âne a-t-il ?
5. Où descend le petit chemin de la ferme ?
6. Que font les canards ?
7. Baissez la tête !
8. Que faites-vous quand vous glissez ?
9. Que font les abeilles ?
10. Aimez-vous nager ?

Exercice VIII.   Écrivez au pluriel :

1. Le poussin est un joli petit oiseau.
2. Il va de son petit pas égal.
3. Il prend le petit chemin.
4. Il est heureux comme un roi.
5. Tu m'agaces !
6. Va-t'en !
7. Il l'aime.
8. Cet âne est très fatigué.
9. Je mange mon petit pain.
10. Il donne sa pêche à son frère.

Grammar Reference : Pages 209, 210.

RÉVISION

Exercice I. (Exemple : — jour — semaine. *Le* jour *de la* semaine) :

1. — jour — semaine.
2. — jardin — maison.
3. — parfum — miel.
4. — mouchoir — enfant.
5. — chef — troupeau.
6. — cloche — vache.
7. — cour — ferme.
8. — queue — porcelet.
9. — eau — étang.
10. — patte — canard.
11. — bord — ruisseau.
12. — auberge — village.
13. — comptoir — magasin.
14. — âne — fermier.

Exercice II. Écrivez au pluriel
(Exemple : L'enfant aime le bonbon.
Les enfants aiment les bonbons) :

1. L'enfant aime le bonbon.
2. Je m'arrête devant le magasin.
3. Mon père aime beaucoup la cigarette.
4. J'achète une bonne poire.
5. C'est toi qui fais la commission.
6. Devant l'auberge je vois un parasol rouge.
7. Cette eau tombe en cascade.
8. Il se tient devant la porte de la boulangerie.
9. Je dors dans mon lit.
10. Ce bel animal porte une grosse cloche.

Exercice III. Écrivez :

Les jours de la semaine, les mois de l'an et les quatre saisons.

Exercice IV. Remplacez les tirets par la forme correcte de *beau*, *bel*, *belle*, *beaux*, *belles* :

1. Voilà un — arbre !
2. Donnez-moi une — pêche, s'il vous plaît.
3. Quelle — eau !
4. Sa mère adore ce — enfant.
5. Quelle — tête il a !
6. Je regarde les — yeux de mon amie.
7. Cette — rose a un parfum délicieux.
8. " Oh, les — mouches jaunes ! " dit Toto.
9. Quel — jour, n'est-ce pas ?
10. Ces — hommes sont très fiers.

Exercice V. Écrivez au pluriel :

je m'en vais ; je viens ; je plonge ; je peux ; je veux ; je me lève ; je suis ; je commence ; j'appelle ; je pars ; il dort ; il lit ; il voit ; il met ; il finit ; il dit ; il boit ; il prend ; il fait ; il a.

Exercice VI. Écrivez au féminin :

1. Il est le premier de la classe.
2. Mon cher Papa est très heureux.
3. Tous les bons fils sont fiers de leurs pères.
4. Ce gros bœuf est furieux.
5. C'est un bel homme.
6. Ce coq est blanc.
7. Il aime son petit frère.
8. Il est très long.

Exercice VII. Répondez :

1. Fait-il beau aujourd'hui ?
2. Quelle date est-ce aujourd'hui ?
3. Mettez-vous de la brillantine sur vos cheveux ?
4. Sortez votre mouchoir !
5. Aimez-vous les animaux ?
6. Nommez des animaux.
7. Quelle est la différence entre un étang et un ruisseau ?
8. Aimez-vous nager et plonger ?
9. Qui fait le pain ?
10. Nommez de bonnes choses que vous trouvez chez un épicier.
11. Que font les abeilles ?
12. Aimez-vous les confitures ?

Exercice VIII. Écrivez au négatif
(Exemple : Il y a des vaches dans le pré.
            Il *n'*y a *pas de* vaches dans le pré) :

1. Il y a des vaches dans le pré.
2. Toto regarde les abeilles.
3. Donnez du miel.
4. Avez-vous du pain bis aujourd'hui, Madame ?
5. Il s'assied à la table.
6. C'est lui qui mène les vaches au pâturage.
7. Il est très heureux à la ferme.
8. Regardez la vache !
9. Baudet s'en va.
10. Il aime beaucoup les enfants.
11. M. Lépine va à la boulangerie.
12. L'enfant aime le pain bis.

133

Exercice IX. Écrivez la forme correcte de *ce, cet, cette, ces* devant (Exemple : ami. *Cet* ami) :

ami, dos, étang, eau, fois, âne, patte, pied, poing, abeille, mouche, canard, corbeille, chemin, sucre, personne, village, maison, mois, auberge.

Exercice X. Conjuguez complètement :

1. Je me lève de bonne heure.
2. Je m'en vais dans le pré.
3. Je me lave les cheveux.
4. Je mange mon petit pain.
5. Je cherche mon petit frère.

Exercice XI. Remplacez les substantifs par la forme correcte du pronom (Exemple : Le fermier examine le bœuf. *Il l'*examine) :

1. Le fermier examine le bœuf.
2. Bobette déteste l'âne.
3. Madame Jeanne tient l'épicerie.
4. La mère donne les bonbons.
5. N'aimez-vous pas les confitures ?
6. Claude et Paul regardent les canards.
7. Les mouches ne piquent pas l'enfant.
8. Avez-vous vu mon ami ?
9. Où voyez-vous les poules ?
10. Je ne trouve pas mon couteau.

Exercice XII :

1. Quelle heure est-il ?—

(1) 2.0.	(3) 11.45.	(5) 20.0.	(7) 23.0.
(2) 5.20.	(4) 3.40.	(6) 1.30.	(8) 7.50.

2. Quelle date est-ce ?—

(1) 6.v.1935.
(2) 25.xii.1934.
(3) 1.iii.1898.
(4) 11.xi.1918.
(5) 1.i.1936.
(6) 21.ix.1566.
(7) 10.vii.1789.
(8) 19.ii.1935.

Exercice XIII.   Complétez les définitions :

1. Le bœuf est un animal qui . . .
2. La mouche est un insecte qui . . .
3. La banane est un fruit qui . . .
4. Le fermier est un homme qui . . .
5. L'abeille est un insecte qui . . .
6. Le boulanger est un homme qui . . .
7. La cerise est un fruit qui . . .
8. L'épicier est un homme qui . . .

Exercice XIV.   Écrivez au pluriel :

je viens ; je jette ; je lance ; je me rends ; je sens ; je m'assieds ; vas-tu ? te lèves-tu ? tu veux ; tu bats ; bois-tu ? assieds-toi ; va-t-il ? il veut ; il lit ; il dit ; il voit ; se lève-t-il ? il fait ; il vient.

Exercice XV :

1. J'entre chez un fruitier. J'achète 10 oranges à 75 ct. la pièce ; 6 bananes à 1 fr. la pièce ; 2 kilogrammes de pommes à 2 fr. le kilogramme.   Écrivez le dialogue et faites l'addition.

2. Ma mère fait des emplettes chez Potin. 2 kilogrammes de sucre à 4 fr. le kilogramme ; $\frac{1}{2}$ livre de café à 4 fr. 50 la $\frac{1}{2}$ livre ; $\frac{1}{2}$ livre de beurre à 7 fr. la livre.

Exercice XVI.   Répondez :

1. Quel âge avez-vous ?
2. Quel jour est-ce aujourd'hui ?
3. Nommez des objets que vous voyez (1) dans la maison, (2) dans la cuisine, (3) au jardin, (4) dans la cour de la ferme, (5) dans une gare.
4. A quelle heure arrivez-vous (1) au lycée, (2) à la maison ?
5. Nommez dix fruits.
6. Prenez-vous du sucre dans le café ?
7. Chez qui achetez-vous (1) du sucre, (2) du pain, (3) des bananes ?
8. Nommez six sortes de voitures.
9. Nommez dix parties d'une personne.
10. Est-ce que l'eau de votre ville est bonne ?

VOCABULAIRE

A la ferme

le bœuf	un arbre
la vache	le champ
le porc	le pré
le porcelet	le pâturage
un âne (baudet)	le jardin
le troupeau	une eau
le berger	le ruisseau
le fermier	un étang
un oiseau	le bord
le coq	le fond
la poule	la boue
le poussin	nager
le canard	plonger

A la ferme

la patte
une aile
le cheval (*pl.* chevaux)
le chien

couler
travailler
planter
mener

A la boulangerie
le boulanger
le pain blanc
le pain bis
le petit pain
le four --- the oven
le panier --- the basket
la corbeille--- ··
la rangée --- the row
le couteau--- the knife

A l'épicerie
un épicier
le café
le chocolat
le sucre
le biscuit
le bonbon
le miel
les confitures (*f.*)

Parties du corps
la tête
la figure
la voix
un œil (*pl.* yeux)
une oreille
le nez
la bouche
le menton
la main
le doigt
une épaule

Couleurs
rouge
bleu
vert
brun
jaune
gris
blanc
noir

Les quatre saisons
le printemps
un été
un automne
un hiver

Pourquoi pas ?
Çà et là.
Attention !
En effet.
Mais oui !
Le lendemain matin.
Il fait beau (temps).
Il fait froid.
Il fait du soleil.
Qu'est-ce que c'est ?
Qu'est-ce que c'est que ça ?
Qu'ils sont jolis !
Se mettre en file indienne.
Lancer un cri (de triomphe, etc.).
Battre des mains.
Il a les cheveux pleins de boue.
" Bon comme le pain blanc."
La personne la plus importante *du* village.
Qu'y a-t-il pour votre service ?
Qu'ils sentent bon !
Faire des emplettes.
Faire des commissions.
C'est combien ?
C'est combien la pièce ?
C'est combien en tout ?
Va t'en — tu m'agaces !
C'est mon tour !
Il s'en va *de* son petit pas égal.

XX. A LA FORGE

Un beau matin Paul arrive dans la cour de la ferme. Il voit Monsieur Baumugne qui examine le sabot d'un des gros bœufs.

"Qu'y a-t-il, Monsieur?" demande Paul. "C'est qu'un des fers du Roux va partir," dit M. Baumugne. "Mais ce n'est pas grave. Je vais l'emmener à la forge. Robert va l'arranger."

"Puis-je vous accompagner, Monsieur?" demande Paul, qui aime beaucoup la forge. "Mais oui, si vous voulez," répond le bon fermier.

Alors M. Baumugne et Paul prennent le chemin du village. Le Roux marche lentement à côté d'eux, de son grave pas lourd. M. Baumugne ne le frappe pas; il le touche de temps en temps du bout d'un long bâton qu'il tient à la main.

La route est blanche et pleine de poussière. Paul est content quand, au bout de vingt minutes, ils arrivent devant la forge, qui est située à l'entrée du village.

" Bonjour, Robert," dit M. Baumugne. Robert travaille. Il frappe de grands coups sur l'enclume, boum ! boum !

" Bonjour, Victor," dit Robert à M. Baumugne. " Vous n'êtes pas aux champs aujourd'hui ? "

" Eh non," dit M. Baumugne. " Voici Le Roux, qui va perdre un de ses fers. Voulez-vous le regarder ? "

Robert regarde le sabot du Roux. " Ce n'est pas très grave," dit-il. " Je l'arrangerai en dix minutes."

Dans un coin de la forge il y a une grosse poutre. A cette poutre sont attachées deux courroies, bien solides, qui passent sur des poulies. M. Baumugne touche Le Roux du bout du bâton et le gros Roux marche lentement vers la poutre. Robert passe les deux courroies autour du gros Roux.

" Tirez fort," dit-il à M. Baumugne. Et les deux hommes tirent. Lentement ils hissent le gros Roux. Le Roux fait " Beu-eu-eu."

" Pourquoi faites-vous cela, Monsieur ? " demande Paul.

" Voyez-vous, mon petit," dit Robert. " Le Roux est si gros qu'il ne peut se tenir sur trois jambes. Alors je le hisse comme cela et c'est tout à fait simple."

Paul regarde. Robert pose le sabot du Roux
sur son genou. Il travaille vite. En dix minutes
tout est fini.

"Ça y est," dit Robert. Il tire sur la poulie.
Le Roux descend lentement à terre. Paisible, il
reste là, planté sur ses quatre pieds.

"Merci, Robert," dit M. Baumugne. "Combien vous dois-je ?" "Cela fait cinq francs,
Monsieur." "Voilà," fait M. Baumugne. "Bonjour, et merci."

"Au revoir, Monsieur," dit Paul. "Puis-je
revenir un jour vous regarder ferrer ?"

"Bien sûr, mon petit," dit Robert. "A
bientôt."

XX

Exercice I.   (Exemple : — sabot — bœuf.
                              Le sabot *du* bœuf) :

1. — sabot — bœuf.
2. — bout — bâton.
3. — entrée — village.
4. — genou — fermier.
5. — enclume — forge.

6. — jambe — homme.
7. — poussière — route.
8. — bord — champ.
9. — cour — ferme.
10. — matin — jour.

Exercice II.   Écrivez en toutes lettres les dates :

(1) 1. v. 1930.   (3) 25. xii. 1935.   (5) 29. ii. 1920.
(2) 14. vii. 1789.   (4) 1. i. 1936.   (6) 11. xi. 1918.

Exercice III.   Dans les phrases suivantes, remplacez les
                         substantifs par des pronoms :

1. Le bœuf perd son fer.
2. Le fermier examine le sabot.
3. M. Baumugne et Paul mènent Le Roux.
4. Je vois mon ami.
5. Portez ce panier !
6. Bobette admire les roses.
7. Ne frappez pas le vieil âne !
8. Robert arrange le fer du bœuf.
9. Les mères aiment leurs enfants.
10. M. Baumugne paye Robert.

Exercice IV.   Répondez :

1. Où est la forge ?
2. Comment est la route ?
3. De quelle couleur est la poussière ?

142

4. Combien de jambes un bœuf a-t-il ?
5. Combien de jambes avez-vous ?
6. Nommez des parties d'un animal.
7. Quelle est la date aujourd'hui ?
8. Quel âge avez-vous ?
9. Nommez les jours de la semaine.
10. Que voyez-vous dans une forge ?

Exercice V.   Écrivez au pluriel :

je sens ; je sors ; je bois ; je mange ; je dois ; je vois ; je commence ; tu dis ; tu fais ; tu écris ; tu mets ; tu prends ; tu vas ; tu bois ; il a ; il est ; il tient ; il doit ; il va ; il dit ; il vient.

Exercice VI.   Écrivez au pluriel :

1. Je dois voir mon ami aujourd'hui.
2. Ce vieil arbre va tomber.
3. Mon père me donne un gâteau.
4. Le journal est intéressant ce matin.
5. Un gros bœuf est très lourd.
6. Une pêche est très bonne à manger.
7. Cet enfant ne doit pas monter sur l'âne.
8. Ce gros aubergiste tient l'auberge du village.
9. Veux-tu venir avec moi ?
10. Ce bel animal est paresseux.

Exercice VII. Écrivez à la forme interrogative : (Exemple : C'est tout. *Est-ce tout ?* ou, *Est-ce que c'est tout ?* :

1. C'est tout.
2. Il tire sur la poulie.
3. Robert travaille vite.
4. Il frappe de grands coups.
5. Il y a beaucoup de neige sur la route.
6. La route n'est pas pleine de poussière.
7. M. Baumugne ne le frappe pas.
8. Vous voyez la forge.
9. Un des fers du Roux va partir.
10. Cette grosse poutre va tomber.

Exercice VIII. Donnez le contraire de :

devant ; il entre ; blanc ; content ; ils arrivent ; sur ; le printemps ; le fils ; il fait chaud ; commencer.

Exercice IX. Sujet de composition :

Paul revient un jour à la forge. Que voit-il (personnes . . . animaux) ? Que dit-il ? Que fait-il ?

Grammar Reference : Page 210.

XXI. LE PARASOL

Un beau jour Bobette, qui se lève toujours de bonne heure, descend dans le jardin. Elle trouve Monsieur Baumugne très occupé à planter un beau parasol, un magnifique parasol, un parasol jaune orange, avec une belle frange.

Bobette bat des mains. "Oh, Monsieur Baumugne, que c'est beau ! Oh, que vous êtes bon ! J'adore les parasols !"

"C'est une petite surprise pour vous," dit le brave fermier. "Et ce n'est pas tout. Il y a aussi une petite table, peinte en jaune, qui va avec." Et il montre à Bobette Madame Baumugne qui arrive avec une jolie petite table.

"Maintenant vous pouvez déjeuner au jardin si vous voulez, Mademoiselle Bobette," dit-elle.

"Oh, oui, Madame, et je vais écrire mes lettres et faire ma broderie sous ce beau parasol."

Le grand parasol a beaucoup de succès. Il fait si bon s'asseoir à son ombre. Tout le monde l'admire; tout le monde est content. Toto est le plus content de tous; il est plus content que Bobette elle-même. Quand il arrive dans le jardin il l'aperçoit et il est enchanté! Il danse autour du grand parasol; il se place au-dessous; il lève les yeux pour regarder le soleil à travers la belle toile orange; il le caresse de ses petits doigts dodus.

Et tout d'un coup Toto a une idée. Le grand parasol, c'est un bel arbre. Il va grimper au sommet de ce bel arbre, exactement comme font les petits singes! Car à Paris Toto visite le " Jardin des Plantes," et il admire beaucoup ces merveilleux singes qui grimpent si haut et si vite.

Alors, plus tard, quand il ne voit personne, Toto revient. Vite, il court vers " l'arbre." Il saisit le piquet entre ses deux petites mains et vite il commence à grimper jusqu'au sommet. Oh, le grand effort!

Très bien, Toto! Le voilà presque au sommet. Mais à ce moment il arrive au ressort, il le presse ferme et . . .

Flop!
Le grand parasol se referme sur le petit singe — le petit singe a peur — il pousse des cris!

Flop! Le grand parasol tombe et le pauvre Toto, bien enveloppé dans ses plis, tombe aussi. Oh, quel cri!

Bobette accourt. "Mon Toto, mon pauvre Toto, où es-tu, dis?" Elle voit avec surprise le beau parasol sur le sol. Hélas! le beau parasol! Mais Toto — où est-il?

Et puis, tout d'un coup, que voit-elle? Les deux petits pieds de Toto qui sortent de dessous le parasol. Bobette les tire de toute sa force. Et Toto surgit, la figure rouge et les cheveux ébouriffés!

Pauvre
      petit
           singe!

XXI

Exercice I. Écrivez la forme convenable de *ce, cet, cette, ces* devant (Exemple : — main. *Cette* main) :

main, doigt, singe, effort, plante, idée, pli, ombre, force, sol, soleil, succès, parasols, auberge, ferme, fermier, couteaux, corbeille, voix, figure.

Exercice II. Remplacez les tirets par *plus — que* ; ou par *le plus* :

1. Elle est — sage — son petit frère.
2. Bobette est — grande — Toto, mais Paul est — — grand des trois enfants.
3. Madame Lépine est — vieille — Paul, mais M. Lépine est — — vieux de tous.
4. Le porc est — gros — le porcelet.
5. Le miel est — sucré — le sucre.

Exercice III. Remplacez les substantifs par des pronoms :

1. Bobette fait sa broderie.
2. Toto lève les yeux pour regarder le soleil.
3. L'enfant admire les singes.
4. La petite ne voit pas son frère.
5. Le fermier a cinq francs.
6. Madame Lépine admire Monsieur Lépine.
7. Versez le lait.
8. Voulez-vous passer le pain ?
9. Ne lisez pas ce livre.
10. L'enfant mange des bonbons.

Exercice IV.   Quelle heure est-il ?—

(1) 12 h. 0.   (5) 21 h. 0.   (8) 4 h. 35.
(2) 5 h. 50.   (6) 3 h. 45.   (9) 2 h. 10.
(3) 1 h. 15.   (7) 24 h. 0.   (10) 8 h. 45.
(4) 10 h. 30.

Exercice V.   Conjuguez complètement :

1. Je commence mon déjeuner.
2. Je me lève de bonne heure.
3. Je vais chez moi.
4. Je vois mon ami.
5. Je m'assieds sur ma chaise.
6. Je saisis mon petit frère.

Exercice VI.   Répondez :

1. Qui descend dans le jardin ?
2. Quels animaux aimez-vous ?
3. Levez les yeux !
4. De quelles couleurs sont les parasols ?
5. Combien de doigts avez-vous ?
6. Qu'est-ce que le singe ?
7. Où demeure-t-il ?
8. Que fait-il ?
9. Qui est plus grand que vous ?
10. Qui est le plus grand de la classe ?
11. Vous levez-vous de bonne heure ?
12. A quelle heure vous levez-vous ?
13. A quelle heure vous levez-vous le dimanche ?
14. Battez des mains !
15. Qui, dans la classe, a les cheveux ébouriffés ?

Exercice VII.   Écrivez au négatif :
1. Elle se lève toujours de bonne heure.
2. Le parasol a une petite table au-dessous.
3. C'est beau !
4. Je vais écrire mes lettres.
5. La dame le voit.
6. Les oiseaux ont trois ailes.
7. Elle donne du sucre.
8. Il y a des roses dans ce jardin.

Exercice VIII.   Complétez les définitions :
1. Le singe est un animal qui . . .
2. Toto est un enfant qui . . .
3. Le fermier est un homme qui . . .
4. Le boulanger est un homme qui . . .
5. Le canard est un oiseau qui . . .
6. Le berger est un homme qui . . .

Exercice IX.   Sujet de composition :
Toto visite le " Jardin des Plantes."

(Un dimanche, Papa propose de mener Toto au " Jardin des Plantes."
Papa et Toto arrivent devant la cage où sont les singes.
Surprise et admiration de Toto.)

Grammar Reference : Page 210.

XXII. CLAUDE, LE BERGER

Paul a trouvé à la ferme un bon ami ; c'est Claude, le jeune berger. Claude est le fils aîné de Madame Jeanne Desmoulins qui tient l'épicerie du village. Il aime beaucoup les animaux.

Tous les jours Claude se lève à l'aube pour mener les bêtes au pâturage. Il part pour toute la journée, accompagné de son chien fidèle, Finaud, qui le suit partout. Il porte son déjeuner — un gros morceau de pain bis, un peu de fromage et quelques noix ou une pomme.

Paul a demandé à M. Baumugne la permission d'accompagner un jour son ami Claude. Les deux garçons s'en vont donc un beau matin. Finaud connaît le chemin ; il l'a fait mille fois déjà ; il pousse les vaches en faisant " Oua ! Oua ! "

Quel beau matin frais ! Paul marche dans l'herbe pleine de rosée ; il regarde les oiseaux, car Claude a promis de lui dire dans quel arbre, dans quel buisson chacun fait son nid.

Comme ils traversent le ruisseau qui descend de la montagne — Floc ! Quel animal est-ce ? Une grenouille ?

"Non," dit Claude. "Je parie que c'est un crapaud !" Il s'en va saisir la petite bête dans ses doigts et montre à Paul les taches jaunes qui marquent le vrai crapaud des bois.

Paul est émerveillé !

Puis ils entrent dans le bois et Claude montre à Paul un endroit qu'il connaît où il y a des quantités de fraises. Qu'elles sont délicieuses, ces fraises des bois ! Paul est enchanté. "Je vais montrer cet endroit à Bobette," dit-il à Claude, "elle aime beaucoup les fraises."

"Il y a aussi des framboises dans le bois," dit Claude. "J'ai trouvé des quantités de framboises cet été."

La matinée passe vite. Il fait chaud, très chaud dans le pré, mais les deux garçons peuvent rester dans le bois, car le bon Finaud garde les vaches ; il ne les quitte pas un seul instant.

A midi, Paul et Claude mangent leur repas.
Paul a faim. " Que ce pain est bon ! " dit-il.
" Et quelle pomme délicieuse ! "

Vers le soir, Claude siffle son chien. Finaud se
précipite. Il assemble les vaches et les trois amis
rentrent à la ferme. Paul est content. Claude
a trouvé une vingtaine de nids d'oiseaux. Dans
beaucoup de ces nids il a vu de petits oiseaux.
Et il a cueilli des fraises, des myrtilles et des
framboises qu'il rapporte à la famille. Quelle belle
surprise pour Bobette et Toto !

XXII

Exercice I. (Exemple : — fromage — garçon.
   Le fromage *du* garçon) :

1. — fromage — garçon.
2. — herbe — pré.
3. — fraise — bois.
4. — nid — oiseau.
5. — repas — soir.
6. — œil — bœuf.
7. — permission — fermier.
8. — grenouille — ruisseau.
9. — doigt — main.
10. — genou — enfant.
11. — poussière — route.
12. — fleur — plante.

Exercice II.   Écrivez au passé composé* (Exemple : Le
   chien garde les vaches.   Le chien *a gardé* les
   vaches) :

1. Le chien garde les vaches.
2. Cette tache marque la table.
3. Le berger montre les nids à Paul.
4. La mère examine les framboises.
5. Payez-vous le chauffeur ?
6. La classe finit l'exercice.
7. Paul traverse le ruisseau.
8. Je mange ma pomme.
9. Le scélérat tire son revolver.
10. L'oiseau vole vite dans les buissons.
11. Donnez-vous des fleurs à votre amie ?
12. L'enfant n'aime pas son lait.

* sometimes called *Parfait*.

154

Exercice III. Écrivez en toutes lettres les dates suivantes :

(1) 14.ii.1935.   (4) 1.xi.1800.   (7) 25.xii.1934.
(2) 24.vi.1910.   (5) 8.viii.1394.   (8) 13.vi.500.
(3) 16.xii.1931.   (6) 5.vii.1658.

Exercice IV. Dans les phrases suivantes, remplacez les substantifs par des pronoms (Exemple : Les vaches aiment le pré. *Elles l'*aiment) :

1. Les vaches aiment le pré.
2. Le garçon trouve des framboises.
3. Aimez-vous les myrtilles ?
4. Un ami a trouvé mon parasol.
5. La petite fille n'aime pas les noix.
6. Vous avez vu le crapaud ?
7. La grenouille a de longues jambes.
8. Ma mère a perdu sa broderie.
9. Cueillez des roses.
10. Est-ce que la classe aime cet exercice ?

Exercice V. Écrivez au pluriel :

je bois ; je mange ; je mets ; je vais ; je dors ; je sors ; je dis ; je tiens ; il prend ; il boit ; il veut ; il voit ; il saisit ; il lit ; il bat.

Exercice VI. Écrivez au présent (Exemple : Toto a appelé sa mère. Toto *appelle* sa mère) :

1. Toto a appelé sa mère.
2. Avez-vous regardé ces belles roses ?
3. Il a mangé ce miel délicieux.
4. Nous avons sifflé notre chien.
5. La cloche a sonné pour le déjeuner.
6. Ils ont poussé un cri de triomphe.
7. Le boulanger a coupé un gros morceau de pain bis.

8. Le bœuf a marché de son pas lourd.

9. Mon ami m'a accompagné en voyage.

10. Elle a parlé avec ma mère.

Exercice VII.   Écrivez à l'interrogatif (Exemple : Paul a trouvé un bon ami.   Paul *a-t-il* trouvé un bon ami ?) :

1. Paul a trouvé un bon ami.
2. Il part pour toute la journée.
3. Finaud connaît le chemin.
4. Le garçon regarde les oiseaux.
5. Il fait beau ce matin.
6. Ces fraises sont bonnes.
7. Tu le permets.
8. Il a trouvé des quantités de framboises.
9. La matinée passe vite.
10. Paul et Claude mangent leur repas.

Exercice VIII.   Répondez :

1. Avez-vous un chien ?
2. De quelles couleurs sont les chiens ?
3. Nommez des fruits.
4. A quelles heures sont les repas du jour ?
5. Fait-il beau aujourd'hui ?
6. Qu'est-ce qu'un berger ?
7. Où un oiseau demeure-t-il ?
8. Où trouvez-vous des nids ?
9. Que trouvez-vous dans un jardin ?
10. Avec quoi mangez-vous les fraises ?

Exercice IX.   Sujet de composition :

Dialogue : Paul et Claude.   En route.   A midi.

Grammar Reference : Pages 211, 212.

XXIII. GUIGUI

Voici Madame Baumugne ; elle sort de la ferme
et traverse la cour. Elle porte un grand seau,
car elle va donner à manger à sa " gentille petite
famille " de porcelets.

Bobette a oublié son mépris des porcelets. Elle
suit Madame Baumugne. " Oh, Madame," dit-
elle. " Vous allez donner à manger aux porcelets ?
Puis-je venir avec vous ? "

" Mais oui, Mademoiselle," dit la bonne fermière. Elle lève le grand seau et le vide dans l'auge.

" Qu'est-ce que vous donnez aux porcelets,
Madame ? " demande Bobette.

" Du petit lait, Mademoiselle, avec des pommes
de terre. C'est très bon pour les petits ' gorets.' "

" En effet, ils sont très gros," dit Bobette.

Les onze petits porcelets arrivent, vite, vite!
Qu'ils sont amusants à regarder! Ils remuent
leurs petites queues; ils tremblent de joie; ils se
bousculent pour arriver à l'auge. Quel bon dîner!
Quel bon dîner!

Bobette rit. "Qu'ils sont amusants, Madame!
J'aime ce petit noir, il a des yeux malicieux."

"Il s'appelle Guigui, Mademoiselle. C'est le
plus malin de tous," dit la fermière.

Elle prend son seau et s'en va vers la ferme, car
elle a du travail à faire. Bobette la suit, car il y a
toujours quelque chose d'intéressant à voir quand
Madame Baumugne travaille.

Voici Toto qui arrive. Ah, les porcelets mangent leur dîner? Toto aime les porcelets; il les
aime beaucoup. Surtout Guigui, le plus petit de
tous, le petit malin.

Toto s'approche doucement des porcelets. Ils
ne le regardent pas. Ils ont le nez plongé dans la
bonne soupe — ils mangent vite — glou — glou —
glou — glou — les petits gourmands!

Toto s'approche doucement. Tout à coup il
saisit la petite queue de Guigui et la tire de toute
sa force. Ah, Guigui! Ah, Guigui!

Oh, alors, quel brouhaha! Guigui crie, "Hi!
Hi!" Il se précipite — il bouscule ses frères. Toto
tient bon — il tire — il tire —

Floc ! Oh, le beau jet de lait !

Où est Toto ? Mais où donc est Toto ?

Hélas ! Toto est dans la soupe — oh, le pauvre Toto !

Et les " gorets " — où sont-ils ?

Les " gorets " partent dans toutes les directions. " Hi ! Hi ! " font les gorets. " Hi ! Hi ! "

Mais Guigui est content. Il regarde Toto de son petit œil malicieux. Toto nage dans la soupe.

La petite queue de Guigui se remue.

" C'est bien fait ! " se dit Guigui.

XXIII

Exercice I. Écrivez la forme convenable de *ce*, *cet*, *cette* devant :

travail, soupe, nez, auge, seau, brouhaha, direction, endroit, fraise, pomme, noix, fromage, bois, doigt, main, idée, plante, fleur, village, ville.

Exercice II. Écrivez au passé composé (Exemple : Madame Baumugne travaille à la ferme. Madame Baumugne *a travaillé* à la ferme) :

1. Madame Baumugne travaille à la ferme.
2. Voici Toto qui regarde les porcelets.
3. Madame Lépine joue avec les enfants.
4. Où vole-t-il ?
5. Bobette porte sa chaise.
6. Ils mangent dans le pré.
7. Ils cherchent toute la journée.
8. Le garçon ne fait pas son devoir.
9. Où dormez-vous ?
10. La dame admire la plante.

Exercice III. Calculez :

(1) 16, 21, 74, 93, 500 = ?
(2) 98, 41, 53, 16, 100 = ?
(3) 5 fr. 75, 1 fr. 50, 15 fr. 35, 18 fr. = ?
(4) 74 fr. 90, 65 fr. 25, 83 fr. 10, 40 fr. = ?
(5) 72 km., 90 km., 1 km. 750, 28 km. 500 = ?
(6) 200 fr., 50 fr. 75, 120 fr. 90 = ?

Exercice IV.   Écrivez au pluriel :

1. Elle porte un grand seau.
2. Elle le vide dans l'auge.
3. Un enfant est content.
4. Elle s'en va vers la ferme.
5. Le nid de l'oiseau est dans le buisson.
6. Je n'ai pas fermé l'œil.
7. Tu as bu dans la tasse de ton frère.
8. Veux-tu aller avec moi dans le pré ?
9. Je me lève de ma place.
10. Où a-t-il vu un ami de la dame ?

Exercice V.   Écrivez au pluriel :

je dois ; je finis ; je connais ; je suis (2) ; je réponds ; je sors ; je vais ; tu dis ; tu fais ; tu mets ; tu travailles ; tu veux ; tu vois ; il doit ; il part ; il court ; il surgit ; il perd ; il bat ; il a.

Exercice VI.   Dans les phrases suivantes, remplacez les substantifs par des pronoms (Exemple : Le berger siffle son chien. *Il le* siffle) :

1. Le berger siffle son chien.
2. La fermière vide le seau.
3. Portez ce bol de lait.
4. Les porcelets mangent la soupe.
5. La mère fait un gâteau.
6. Voyez-vous ce petit malin ?
7. Ne frappez pas l'enfant.
8. Bobette visite les animaux.
9. Le chien garde les bêtes.

10. Guigui remue la queue.

Exercice VII.   Répondez :

1. Qu'est-ce qu'un porcelet ?
2. Avec quoi faites-vous une bonne soupe ?
3. A quelle heure arrivez-vous au lycée ?
4. Traversez-vous la cour pour entrer au lycée ?
5. Quand avez-vous du travail à faire ?
6. Quelle est la différence entre une ferme et un lycée ?
7. Nommez " un petit malin."
8. Est-ce qu'il est bon de manger vite, " glou-glou " ?

Exercice VIII.   Apprenez par cœur :

Grammar : Pages 211, 212.   Verbs.

Exercice IX.   Écrivez une composition :

1. " Aventure d'un petit goret " —
Son nom — sa maison.
Il se lève le matin — entre dans la cour de la ferme.
Il voit la poule et sa famille — il va les bousculer.
La poule mère l'attaque . . . " Hi ! Hi ! "

ou 2.   " A la ferme " —
Bobette visite la ferme.
Les animaux — bœufs — vaches — chien — poules —
poussins — canards.

Retour à la maison vers midi.

ou 3.   " Aventure de Baudet " —
Baudet : son caractère.
Il cherche des aventures : entre au jardin : mange . . .
Il arrive à la ruche des abeilles . . .!
" C'est bien fait ! "

Grammar Reference : Page 212.

XXIV. "A LA CLAIRE FONTAINE"

(Scène.   Trois femmes de St. Benoît
lavent du linge au ruisseau.)

1ᵉ Blanchisseuse (*chante*) :

> J'aime mieux ma mie au gué,
> J'aime mieux ma mie.

2ᵉ Blanchisseuse.   Chante, Anne-Marie, chante,
je te bats la mesure.

> *(Elle frappe le linge de son battoir.)*

3ᵉ Blanchisseuse.   Oui, il n'y a rien comme le
chant quand le travail est dur.

1ᵉ Blanchisseuse :

> Si le roi m'avait donné
> Paris sa grand'ville,
> J'aime mieux ma mie au gué !
> J'aime mieux ma mie.

BOBETTE (*arrive et chante aussi*) :

> J'aime mieux ma mie au gué !
> J'aime mieux ma mie.

(*Les trois blanchisseuses lèvent les yeux.*)

LES 3 BLANCHISSEUSES. Bonjour, Mademoiselle Bobette.

BOBETTE. Bonjour, Mesdames. Qu'il fait beau aujourd'hui ! Beau temps pour la lessive, n'est-ce pas ?

2e BLANCHISSEUSE. En effet, Mademoiselle. Vous venez nous voir à l'œuvre ?

BOBETTE. Oui, Madame. Je vous apporte du travail.

3e BLANCHISSEUSE. Qu'est-ce que c'est, Mademoiselle ?

BOBETTE. Oh, Madame, c'est la culotte de mon petit frère Toto. Il a voulu nager dans l'auge des porcelets.

(*Les femmes rient.*)

2e BLANCHISSEUSE. Il aime se baigner, votre petit frère, n'est-ce pas ?

BOBETTE. Cette fois, ce n'est pas sa faute, Madame. C'est la faute de Guigui, le petit porcelet noir.

3e BLANCHISSEUSE. Donnez-la-moi, Mademoiselle, c'est vite fait.

BOBETTE. Merci, Madame. Elle est bien claire, l'eau de ce ruisseau.

2e BLANCHISSEUSE. Oh, oui, Mademoiselle, c'est

une bien bonne eau. Et il y a même des truites, vous savez, si vous remontez plus haut. ✓

BOBETTE. C'est vrai, Madame ? Nous avons mangé de belles truites l'autre jour.

2ᵉ BLANCHISSEUSE. C'est mon mari qui les pêche, Mademoiselle. Et, ma foi, elles sont bien bonnes.

1ᵉ BLANCHISSEUSE (*chante*) :

> A la claire fontaine,
> Dondaine ma dondaine ;
> A la claire fontaine
> Les mains me suis lavé . . .
> Dondain' ma lou-loul-la,
> Dondaine ma dondé.

BOBETTE. Elle chante bien, votre amie.

3ᵉ BLANCHISSEUSE. En effet, elle est très gaie, elle chante du matin au soir. D'ailleurs, elle est très heureuse ; elle va se marier à la fin de la semaine.

BOBETTE. Vraiment ? Avec qui, Madame ?

3ᵉ BLANCHISSEUSE. Avec Robert, le forgeron.

BOBETTE. Bravo ! Il est bien gentil, Robert ; mon frère Paul l'aime beaucoup.

2ᵉ BLANCHISSEUSE. Oui, et il travaille bien. Elle a de la chance, Anne-Marie.

BOBETTE. Bravo, nous allons voir la noce !

3ᵉ BLANCHISSEUSE. Oh, bien sûr ! Tout le village va la voir.

BOBETTE. Je vais vite le dire à Maman. Au revoir, Mesdames.

LES BLANCHISSEUSES. Au revoir, Mademoiselle.

XXIV

Exercice I. Écrivez en toutes lettres les dates suivantes :

(1) 10.vii.1904. (5) 21.v.1928.
(2) 27.xii.1595. (6) 5.x.1933.
(3) 13.ii.1915. (7) 15.viii.1931.
(4) 1.vii.1935. (8) 8.iv.1900.

Exercice II. Écrivez les verbs suivants (Exemple :

INFINITIF PAR. PASSÉ PRÉSENT PARFAIT

porter   porté   je porte *etc.*   j'ai porté *etc.*)

porter ; finir ; perdre ; avoir ; être ; mener ; courir ;
boire ; connaître ; dire ; faire ; mettre ; devoir ; pouvoir ;
savoir ; voir ; vouloir.

Exercice III. Écrivez à l'interrogatif
(Exemple : Une femme lave du linge.
                   Une femme *lave-t-elle* du linge ?) :

1. Une femme lave du linge.
2. Il n'y a rien.
3. Je te bats la mesure.
4. Vous venez nous voir.
5. Il n'a pas nagé.
6. Il les pêche ici.
7. Elle va se marier.
8. Paul l'aime beaucoup.
9. Quand le travail est dur.
10. Les blanchisseuses lèvent les yeux.

Exercice IV. Écrivez les définitions suivantes :

1. La blanchisseuse est une femme qui . . .
2. Le forgeron est un homme qui . . .
3. St. Benoît est un village qui . . .
4. La truite est un poisson qui . . .
5. Le gourmand est une personne qui . . .
6. La grenouille est un animal qui . . .
7. La framboise est un fruit qui . . .
8. L'âne est un animal qui . . .

Exercice V. Complétez (Exemple : — battoir — blanchisseuse. *Le* battoir *de la* blanchisseuse) :

1. — battoir — blanchisseuse.
2. — fontaine — ferme.
3. — culotte — garçon.
4. — ville — roi.
5. — faute — enfant.
6. — main — forgeron.
7. — truite — ruisseau.
8. — dîner — gourmand.
9. — direction — rue.
10. — travail — homme.

Exercice VI. Écrivez au passé composé (Exemple : Nous portons. Nous *avons porté*) :

nous portons ; nous mangeons ; je bats ; je mets ; il ferme ; il travaille ; il perd ; vous savez ; vous connaissez ; vous avez.

Exercice VII. Écrivez au négatif (Exemple : Il donne
ce gâteau. Il *ne* donne *pas* ce gâteau) :

1. Il donne ce gâteau.
2. La petite m'a rendu mon livre.
3. Elle a du fromage.
4. Où allez-vous ?
5. Il a pris des truites.
6. Je l'ai vu à la fontaine.
7. Elle aime beaucoup le chant.
8. Il est l'aîné de la famille.
9. Avez-vous vu mon petit frère ?
10. Le cherchez-vous ?

Exercice VIII. Répondez :

1. Aimez-vous le chant ?
2. Nommez la capitale de la France.
3. Qu'est-ce qu'une blanchisseuse ?
4. Travaillez-vous dur ?
5. Où y a-t-il des truites ?
6. Avez-vous jamais pris une truite ?
7. Qui est le roi de l'Angleterre ?
8. Y a-t-il un roi de France ?
9. Avec qui Anne-Marie va-t-elle se marier ?
10. Avez-vous jamais vu une noce ?

Exercice IX. Sujet de composition :

Racontez la leçon de la façon suivante : " Un jour,
Bobette va à la fontaine . . ."

Grammar Reference : Page 212.

XXV. LA NOCE

(*Scène. Sur la place devant l'église de St. Benoît. Il est onze heures moins le quart. Beaucoup de personnes attendent, des hommes, des femmes et des enfants. Paul et Bobette attendent aussi, avec Toto. Paul a son appareil Kodak. Bobette tient Toto par la main ; ils portent des fleurs.*)

PAUL. Dire que nous partons demain de St. Benoît ! Comme le temps a passé vite !

BOBETTE. Les vacances passent toujours vite. Mais quelle chance nous avons de voir le mariage d'Anne-Marie et de Robert avant de partir ! Toto, tu n'as pas perdu tes roses ?

TOTO. Non, non, B'bette ; je les tiens bien.

BOBETTE. Quand la mariée sortira de l'église, tu jetteras tes roses à ses pieds. Tu comprends bien ?

TOTO. Oui, oui, Bobette.

Ⅰe FEMME DU VILLAGE. Vous avez vu la belle robe d'Anne-Marie, Mademoiselle ?

BOBETTE. Non, Madame, pas encore. Elle est belle ?

Ⅰe FEMME. Magnifique, Mademoiselle ! C'est une robe qu'elle a de sa grand'mère, une belle robe de soie noire. Et elle a aussi une magnifique chaîne d'or, avec une croix en or aussi.

BOBETTE.   Oh, que j'aime ces belles chaînes d'or !
Est-ce qu'elle porte un voile de mariée, Madame?

1e FEMME.   Non, Mademoiselle, elle porte son
bonnet en mousseline blanche et en dentelles
avec des rubans de soie noire.

2e FEMME.   Et après la cérémonie de l'église il y
a un beau dîner de noce à l'auberge, Mademoiselle, avec quarante invités.

BOBETTE.   Et ils danseront après, Madame ?

1e FEMME.   Oui, Mademoiselle ; les musiciens
vont venir.   Si vous voulez voir danser la
bourrée, venez la voir ce soir, Mademoiselle.

BOBETTE.   Oh, oui, Madame, avec plaisir.

      (*Les cloches de l'église commencent à caril-
      lonner.*)

2e FEMME.   Ils sortent, ils sortent !

1e FEMME.   Les voilà, les voilà, sur les marches
de l'église !

PAUL (*braque son appareil*).   Je vais les photographier comme ils sortent de dessous le portail.
Quelle jolie photo je vais avoir !   Quelle chance
d'avoir du soleil !

BOBETTE.   Attends un instant, Paul.   Prends tout
le cortège avec les enfants qui jettent des fleurs !
Vite, Toto, les roses !

TOTO (*se précipite*).   V'là des fleurs, Anne-Marie !

      (*Anne-Marie et Robert sortent de l'église.
      Comme ils passent devant les enfants ils
      jettent des poignées de dragées.   Toto
      saisit une grosse dragée et la mange.*)

1e FEMME.   La belle robe !

BOBETTE.   En effet, Madame, elle est magnifique. Anne-Marie est très jolie ; et comme elle a l'air heureux !

2e FEMME.   Elle est très douce.   Ils font un joli couple ; tout le monde aime Robert le forgeron ; il est bien brave.

(*Le cortège sort de l'église et défile le long du chemin qui mène à l'auberge. A la tête du cortège marchent deux joueurs d'accordéon, qui jouent de leurs instruments. Les cloches carillonnent gaiement.*)

PAUL.   Eh bien, je suis très content d'avoir vu cette jolie noce ! Au revoir, Mesdames.

BOBETTE.   Et moi aussi.

1e FEMME.   Au revoir, Monsieur et Mademoiselle. Vous n'oublierez pas de venir ce soir, boire à la santé des mariés et voir danser la bourrée ?

BOBETTE.   Oh non, Mesdames. Cette musique des accordéons me fait danser déjà ! Au revoir, Mesdames.

LES FEMMES.   Au revoir, Mademoiselle, à ce soir.

XXV

Exercice I. Écrivez *ce, cet, cette, ces* devant :

mariage, or, croix, couple, église, bonnet, photo, cortège, musicien, musique, voile, place, poignée, main, doigt, épaule, tête, santé, fleur, plante.

Exercice II. Écrivez au futur (Exemple : Elle porte une belle robe. Elle *portera* une belle robe) :

1. Elle porte une belle robe.
2. Il finit son travail.
3. Je mange mon gâteau.
4. Aime-t-il les dragées ?
5. Beaucoup de personnes attendent.
6. Tu perds tes roses !
7. Ils portent des fleurs.
8. Je braque mon bel appareil.
9. Il regarde des poules dans la cour.
10. Le repas commence à onze heures et demie.

Exercice III. Quelle heure est-il ?

(1) 9 h. 50.	(4) 4 h. 15.	(7) 21 h. 5.
(2) 7 h. 30.	(5) 10 h. 0.	(8) 7 h. 0.
(3) 3 h. 10.	(6) 5 h. 45.	(9) 11 h. 35.

Exercice IV. Dans les phrases suivantes remplacez les substantifs par des pronoms :

1. Paul a son appareil.
2. As-tu tes roses ?
3. Tu jetteras tes fleurs.
4. Voilà les mariés !
5. La mariée a l'air heureux.

6. Les enfants aiment les dragées.
7. Ne voyez-vous pas la ıerme ?
8. Donnez ces dragées.
9. La mère rapporte de bonnes choses.
10. Ne chassez pas les poules.

Exercice V.   Écrivez au singulier :

Les enfants attendent devant de grands magasins pour voir les jolis couples qui sortent des églises. Ils voient les belles robes que portent les mariées et aussi les joueurs d'accordéons qui mènent les cortèges. Ils sont très contents, car quand les beaux cortèges passent, les mariées jettent des poignées de dragées et ils les saisissent. Puis ils rentrent, dire tout à leurs parents.

Exercice VI.   Écrivez au négatif :

1. Tu comprends bien ?
2. Vous avez vu la belle robe ?
3. Est-ce qu'elle porte un voile de mariée ?
4. Il y a un dîner de noce.
5. Donnez des dragées.
6. Je vais les photographier.
7. Je le vois sur la place de l'église.
8. Aimez-vous les belles roses ?
9. Cet exercice m'amuse beaucoup.
10. Ils sont très contents.

Exercice VII.   Répondez :

1. Qui fait la lessive ?
2. Qui porte un bonnet ?
3. Où est l'église de votre ville ?
4. Jouez-vous de la musique ?

5. Qu'est-ce qu'une mariée ?
6. Où vont les mariés ?
7. Faites-vous des photographies ?
8. Avez-vous un appareil ?
9. Qu'est-ce qu'un invité ?
10. De quelles couleurs sont les rubans ?

Exercice VIII. Écrivez au passé composé (Exemple : Beaucoup de personnes attendent. Beaucoup de personnes *ont attendu*) :

1. Beaucoup de personnes attendent.
2. Les vacances passent vite.
3. Les cloches commencent à carillonner.
4. Elle chante très bien.
5. Ils font un joli couple.
6. Ils voient la noce.
7. La mariée porte un beau voile.
8. Je joue du piano.

Exercice IX. Écrivez une composition :

1. La Noce —

Bobette rentre à la maison. Elle raconte à sa mère la scène devant l'église.

ou 2. La Bourrée —

Bobette et Paul entrent, le soir, à l'auberge pour voir danser la bourrée. Dialogue.

Grammar Reference : Page 213.

RÉVISION

Exercice I.   (Exemple : — truite — ruisseau.   *La* truite
         du ruisseau) :

1. — truite — ruisseau.
2. — chant — jeune fille.
3. — linge — lessive.
4. — fin — mois.
5. — eau — fontaine.
6. — joie — mère.
7. — dîner — aubergiste.
8. — nez — garçon.
9. — rosée — soir.
10. — grenouille — étang.
11. — repas — famille.
12. — fromage — berger.
13. — genou — homme.
14. — poussière — route.
15. — jambe — bœuf.
16. — champ — fermier.
17. — mari — femme.
18. — nid — oiseau.

Exercice II.   Écrivez au pluriel :

1. Le garçon trouve un nid dans le buisson.
2. Cet homme n'a pas fini son repas.
3. Elle va à la fontaine.
4. As-tu trouvé une belle fraise ?

5. Le parasol n'est pas grand.
6. Je vais te donner une pomme.
7. Où vas-tu voir ton ami ?
8. Ce bel enfant aime son vieux chien.
9. Je ne le donne pas !
10. Moi, je dis que je vais grimper sur cet arbre !

Exercice III.   Dans les phrases suivantes, remplacez les
             substantifs par des pronoms :
    1. Bobette porte une belle robe.
    2. La famille mange la truite.
    3. Avez-vous les dragées ?
    4. Les petits gorets aiment beaucoup les pommes de
       terre.
    5. La mère n'aime pas le fromage.
    6. La blanchisseuse lave le linge.
    7. Les enfants cherchent des nids.
    8. Le berger siffle son chien fidèle.
    9. Le petit singe saisit les noix.
    10. La dame admire la belle plante.

Exercice IV.   Complétez les définitions :
    1. Le pêcheur est un homme qui . . .
    2. La blanchisseuse est une femme qui . . .
    3. La truite est un poisson qui . . .
    4. Le forgeron est un homme qui . . .
    5. Le singe est un animal qui . . .
    6. Le mari est un homme qui . . .
    7. Le porc est un animal qui . . .
    8. La grenouille est un animal qui . . .
    9. Le chien est un animal qui . . .

Exercice V.   Écrivez au négatif :

1. Les rapides vont lentement.
2. J'ai oublié de faire mon devoir.
3. Il y a des taxis dans le village.
4. Le petit berger a trouvé des myrtilles.
5. J'ai donné des dragées à l'enfant.
6. Nous avons vu le forgeron.
7. Le soir, il tombe beaucoup de rosée.
8. La blanchisseuse a porté le linge à la fontaine.
9. Avez-vous pris des truites ?
10. Aime-t-elle le chant ?

Exercice VI.   Écrivez au passé composé :

j'ai ; je sais ; je vois ; je mets ; je regarde ; il finit ; il répond ; il dit ; il pose ; il boit.

Exercice VII :

1. Quelle heure est-il ?—

(1) 5 h. 30.   (3) 11 h. 45.   (5) 12 h. 0.
(2) 2 h. 40.   (4) 3 h. 15.

2. Quelle est la date ?—

(1) 17.vii.1936.   (4) 5.vii.1815.
(2) 1.i.1900.   (5) 16.ii.1938.
(3) 21.xii.1934.

3. Additionnez ; donnez le total :

(1) 2 fr. ; 15 fr. 50 ; 42 fr. 25.
(2) 20 fr. 75 ; 100 fr. ; 90 fr. 50.
(3) 35 fr. 30 ; 40 fr. 70 ; 26 fr. 50.
(4) 10 fr. 50 ; 17 fr. 25 ; 35 fr. 10.
(5) 50 fr. ; 24 fr. 80 ; 7 fr. 20.

Exercice VIII.   Répondez :

1. Que voyez-vous dans une forge ?
2. Comment est un bœuf ?
3. Levez la main droite !
4. Combien de doigts avez-vous ?
5. Avez-vous jamais grimpé sur un arbre ?
6. Nommez les jours de la semaine, les mois de l'an.
7. Où y a-t-il des fraises ?
8. Préférez-vous une pomme, une poire ou une orange ?
9. Aimez-vous les truites ?
10. Que mangent les petits porcelets ?

Exercice IX.   Écrivez à la forme interrogative :

1. Robert va l'arranger.
2. Claude siffle son chien.
3. Ce n'est pas grave.
4. Elle a perdu son parasol.
5. Il a cueilli des fraises.
6. Elle se lève de bonne heure.
7. Il vous a dit cela.
8. Elle ne m'a pas vu.

Exercice X.   Écrivez au féminin :

1. Le bon fermier est très gentil.
2. Le garçon n'est pas heureux.
3. Ce vieux monsieur aime son fils.
4. Regardez ce fier coq blanc et roux.
5. Quel beau matin !
6. Ce bœuf est très doux.
7. Ce poisson n'est pas frais.
8. Cet animal n'est pas malicieux.

Exercice XI.   Conjuguez complètement :

1. Je mange mon repas.
2. Je me lave les mains.
3. Je tombe de ma chaise.
4. Je garde ma place.

Exercice XII.   Écrivez au pluriel :

tu sais ; tu suis ; tu viens ; tu connais ; tu dis ; tu
es ; tu vois ; tu peux ; il finit ; il fait ; il doit ; il
boit ; il met ; il tient ; il se lève ; il va.

Exercice XIII.   Donnez le contraire de :

petit ; midi ; blanc ; gentil ; il demande ; levez-
vous ; hier ; possible ; le jour ; monter.

Exercice XIV.   Écrivez l'article défini et la forme convenable de *vieux, vieil, vieille,* devant (Exemple :
arbre. *Le vieil* arbre) :

arbre, femme, seau, auge, homme, bœuf, truite.

Exercice XV.   Écrivez au futur :

vous portez, vous finissez, vous descendez ; ils aiment,
ils finissent, ils répondent.

Exercice XVI.   Écrivez une composition :

1. Le village.

(La rue : les magasins : l'auberge : la forge : les
villageois.)

ou 2. La noce.

(Devant l'église : le cortège : les mariés.)

ou 3. Les animaux.

(Animaux de la ferme : leurs caractères différents.)

VOCABULAIRE

A la forge

le forgeron
le marteau
une enclume
le coup
le fer
le bœuf
le cheval
un âne
le sabot
la poutre
la poulie
la courroie
frapper
hisser
ferrer

La noce

le mariage
le marié (*f.* la mariée)
le cortège
la cérémonie
une église
la cloche
le dîner de noce
un invité
la robe de noce
le voile de mariée
chanter
danser
carillonner

Dans les bois

un arbre
une ombre
le buisson
le nid
un oiseau
la plante
une herbe
la rosée
la myrtille
le ruisseau
le crapaud
la grenouille
observer
chercher
grimper

La photographie

le photographe
un appareil
 (Kodak, etc.)
un instantané
la pose
la pellicule
le rouleau
la plaque
le soleil
la lumière
braquer (un appareil)
faire une photo
développer

PETITES PHRASES

Marcher *d*'un pas lourd.
De temps en temps.
Il tient *à* la main.
Au bout de cinq minutes.
C'est tout à fait simple.
Ça y est !
Combien vous dois-je ?
Bien sûr !
Au revoir.   A bientôt.   A ce soir.
Elle se lève à l'aube.
Tout le monde.
Qu'y a-t-il ?   Qu'arrive-t-il ?
Quel drôle de garçon !
J'ai faim.   J'ai grand'faim.
Je donne à manger à l'enfant.
Il y a quelque chose de bon à voir.
Quel brouhaha !
Je bats la mesure.
C'est vite fait.
Ce n'est pas sa faute.
Avant-hier.
Elle va se marier avec (le forgeron).
Quelle chance !
Dire que . . . !

CHANSONS

LE ROI D'YVETOT

Il é - tait un roi d'Y - ve - tot Peu con - nu dans l'his - toi - re; Se le - vant tard, se cou - chant tôt, Dor-mant fort bien sans gloi - re, Et cou - ron-né par Jean-ne - ton D'un sim - ple bon - net de co-ton, dit - on. Oh! Oh! Oh! Oh! Ah! Ah! Ah! Ah! Quel bon pe - tit roi c'é - tait là! La, la.

2. Il faisait ses quatre repas
   Dans son palais de chaume,
   Et sur un âne, pas à pas,
   Parcourait son royaume.
   Joyeux, simple et croyant le bien
   Pour toute garde il n'avait rien
   Qu'un chien.

Oh ! Oh ! Oh ! Ah ! Ah ! Ah !
Quel bon petit roi c'était là ! La, la.

3. On conserve encor le portrait
De ce digne et bon prince ;
C'est l'enseigne d'un cabaret
Fameux dans la province.
Les jours de fête, bien souvent,
La foule s'écrie en buvant.
Devant.
Oh ! Oh ! Oh ! Ah ! Ah ! Ah !
Quel bon petit roi c'était là ! La, la.

SI LE ROY M'AVAIT DONNÉ

Si le Roy m'a-vait don-né Pa-ris sa grand' vil-le

Et qu'il m'eût fal-lu quitter L'a-mour de ma mi-e,

Je di-rais au Roy Henri: Re-pre-nez vo-tre Pa-ris,

J'ai-me mieux ma mie au gué, J'ai-me mieux ma mi-e!

A LA CLAIRE FONTAINE

Con moto

A la clai-re fon - tai - ne, Don - dai - ne, ma don-
dai - - - ne; A la clai-re fon - tai - ne Les
mains me suis la - vées. . . . Don - dain' ma lou - lou-
la, ... Don-dain' ma lou - lou - la. . . . . . A
la clai-re fon - tai - ne Les mains me suis la-
vées, ... Don - dai - ne ma don - dé. . . . .

2. A la feuille d'un chêne,
   Dondaine ma dondaine ;
   A la feuille d'un chêne
   Je les ai essuyées.
   Dondain' ma lou-lou-la,
   Dondain' ma lou-lou-la.
   A la feuille d'un chêne
   Je les ai essuyées,
   Dondaine ma dondé.

185

3. A la plus haute branche
   Un rossignol chantait.

4. Chante, rossignol, chante,
   Toi, qui as le cœur gai.

5. Le mien n'est pas de même,
   Il est bien affligé.

6. Pierre, mon ami Pierre,
   A la guerre est allé.

7. Pour un bouton de rose
   Que je lui refusai.

8. Je voudrais que la rose
   Fût encore au rosier.

9. Et que mon ami Pierre
   Fût ici à m'aimer.

GRAMMAR

(The numbers I, II, III, etc. refer to the Lessons)

The alphabet is the same in French as in English.

No capital letter takes an accent except the letter *e*. (Examples: île, Ile; émerveillé, Émerveillé; théâtre, THÉATRE.)

I

DEFINITE ARTICLE (SINGULAR)

MASCULINE	le, l'
FEMININE	la, l'

(*l'* is used before a noun beginning with a vowel or *h* mute)

INDEFINITE ARTICLE (SINGULAR)

MASCULINE	un
FEMININE	une

GENDER OF NOUNS

Nouns in French are either masculine or feminine. There is no neuter. (Example: *le* garçon, *un* garçon; *la* porte, *une* porte.)

INTERROGATIVE PRONOUN

NOMINATIVE   qui ?

This is used for persons only, singular and plural.

PERSONAL PRONOUN (SINGULAR)

	1ST PERSON	2ND PERSON	3RD PERSON
NOMINATIVE	je	tu	il, elle

(*Tu* should be used only by members of the same family or by very intimate friends.)

VERBS

1ST PERSON	je regarde	je touche
2ND PERSON	tu regardes	tu touches
3RD PERSON	il, elle regarde	il, elle touche

1ST PERSON	j'ouvre	j'entre	je ferme
2ND PERSON	tu ouvres	tu entres	tu fermes
3RD PERSON	il, elle ouvre	il, elle entre	il, elle ferme

IMPERATIVE

regardez
touchez
ouvrez
entrez
fermez

II

DEFINITE ARTICLE

	SINGULAR	PLURAL
MASCULINE	le, l'	les
FEMININE	la, l'	les

INDEFINITE ARTICLE

	SINGULAR	PLURAL
MASCULINE	un	des
FEMININE	une	des

NUMBER OF NOUNS

The plural of nouns is generally formed by adding -*s* to the singular. (Example : la chaise, les chaise*s* ; une porte, des porte*s*.)

PRESENT INDICATIVE

SINGULAR	PLURAL
(il, elle) est	(ils, elles) sont

PERSONAL PRONOUN

SINGULAR

	1ST PERSON	2ND PERSON	3RD PERSON
NOMINATIVE	je	tu	il, elle

PLURAL

NOMINATIVE	nous	vous	ils, elles

Notice that the use of *tu* being very restricted, *vous* is the pronoun generally used, whether you are speaking to one person, or to several.

Notice that the masculine plural is used to refer not only to masculine nouns, but also to masculines and feminines used together. (Example : Où sont *Papa et Maman* ?   Où sont-*ils* ?)

INTERROGATIVE FORM OF THE VERB

1ST PERSON	regardé-je ?	regardons-nous ?
2ND PERSON	regardes-tu ?	regardez-vous ?
3RD PERSON	regarde-t-il ?	regardent-ils ?
	regarde-t-elle ?	regardent-elles ?

N.B.—If the 3rd Person Singular of the verb ends in a vowel, add -*t*- before *il, elle*. (Example : Ferme-*t*-il la porte ?)

You may also form the Interrogative of the verb by prefixing the little phrase *Est-ce que* to the sentence. (Example : Est-ce que je regarde Marie ?   Est-ce qu'il ferme la porte ?)

III

If the noun is masculine, the adjective must be masculine also. If the noun is feminine, the adjective must be feminine also.

The feminine of the adjective is usually formed by adding *-e* to the masculine.

Example : Papa est content.   Maman est content*e*.

Masculine	Feminine
petit	petite
grand	grande
fermé	fermée
content	contente

Number of Adjectives

If the noun is plural, the adjective must be plural also.

The plural of the adjective is usually formed by adding *-s* to the singular.

Example : Il est petit. Ils sont petit*s*. Elle est grande. Elles sont grande*s*.

Singular	Plural
petit	petits
petite	petites
grand	grands
grande	grandes
content	contents
contente	contentes
fermé	fermés
fermée	fermées

IV

IRREGULAR ADJECTIVES

MASCULINE	FEMININE
cher	*chère*
quel	*quelle*

POSSESSIVE ADJECTIVES

	MASCULINE	FEMININE
1ST PERSON SINGULAR	mon	ma (mon)

mon must be used before a masculine noun ; *ma* before a feminine noun. But the form in brackets, *mon*, must be used, instead of *ma*, if the feminine noun begins with a vowel, or *h* mute.

(Example : mon ami, ma chaise, *mon* ami*e*.)

VERBS

PRESENT INDICATIVE

	SINGULAR	PLURAL
3RD PERSON	il regarde	ils regardent
	il touche	ils touchent
	il ouvre	ils ouvrent
	il ferme	ils ferment
	il compte	ils comptent
	il entre	ils entrent
	il **dit**	ils **disent**
	il **va**	ils **vont**
	il **est**	ils **sont**

IMPERATIVE

regarde	regardez
touche	touchez

etc.

191

V

VERBS

To form the negative of the verb, put *ne* (*n'*) before the verb and *pas* after the verb. (Example : Il ferme. Il *ne* ferme *pas*. Elle entre. Elle *n'*entre *pas*.)

If the verb is in the Interrogative, put the *pas* after the pronoun. (Example : Est-il content ? *N'*est-il *pas* content ?)

PRESENT INDICATIVE

SINGULAR	PLURAL
3RD PERSON il, elle sourit	ils, elles sourient

IMPERATIVE

dis	dites

VI

ADJECTIVES

Adjectives usually follow the noun they qualify. (Adjectives of colour always do.) But some short adjectives come before the noun, e.g. *bon*, *cher*, *grand*, *petit*. (Example : la chaise jaune ; mon grand ami ; la petite fenêtre.)

Notice that if the adjective refers to two or more nouns, one of which is masculine, the adjective is masculine, not feminine. (Example : Monsieur Lépine et Paul sont *assis*. Madame Lépine et Bobette sont *assises*. Monsieur Lépine et Bobette sont *assis*.)

	MASCULINE	FEMININE
Notice	bon	*bonne*

Possessive Adjective

	Masculine	Feminine
1st Person Singular	mon	ma (mon)
2nd Person Singular	ton	ta (ton)
3rd Person Singular	son	sa (son)

Verbs

Present Infinitive
regarder

Present Indicative

	Singular	Plural
1st Person	je regarde	nous regardons
2nd Person	tu regardes	vous regardez
3rd Person	il, elle regarde	ils, elles regardent

(Thus : je touche, je ferme, je donne, je frappe, je sursaute, je tombe.)

	Singular	Plural
1st Person	j'ouvre	nous ouvrons
2nd Person	tu ouvres	vous ouvrez
3rd Person	il, elle ouvre	ils, elles ouvrent

(Thus : j'arrive, j'entre, etc.)

	Singular	Plural
1st Person	je lève	nous levons
2nd Person	tu lèves	vous levez
3rd Person	il, elle lève	ils, elles lèvent

lever - to raise

	Singular	Plural
1st Person	je souris	nous sourions
2nd Person	tu souris	vous souriez
3rd Person	il sourit	ils sourient

Sourire - to smile

N

VII

DEFINITE ARTICLE : POSSESSIVE CASE — genitive

	SINGULAR	PLURAL
MASCULINE	du, de l'	des
FEMININE	de la, de l'	des

DEFINITE ARTICLE : DATIVE CASE

	SINGULAR	PLURAL
MASCULINE	au, à l'	aux
FEMININE	à la, à l'	aux

(Example : la chaise *du* fils ; le benjamin *de la* famille ; le lait *de l'*enfant ; les serviettes *des* enfants ; elle donne le lait *au* fils, *à la* fille et *à l'*enfant ; Paul donne les petits pains *aux* enfants.)

POSSESSIVE ADJECTIVE

	SINGULAR		PLURAL
	MASCULINE	FEMININE	
1ST PERSON	mon	ma (mon)	mes
2ND PERSON	ton	ta (ton)	tes
3RD PERSON	son	sa (son)	ses

(The form in brackets must be used before a feminine noun beginning with a vowel or *h* mute.)

INTERROGATIVE PRONOUNS

	For Persons	*For Things*
NOM.	Qui ? Qui est-ce qui ?	Qu'est-ce qui ?
ACC.	Qui ? Qui est-ce que ?	Que ? Qu'est-ce que ?

Who

Nouns

The plural of nouns ending in *-au* or *-eu* is formed by adding *-x*. (Example : le morceau de sucre ; les morceaux de sucre.)

Verbs

Present Infinitive		Present Indicative	
		Singular	Plural
avoir	1st Person	j'ai	nous avons
	2nd Person	tu as	vous avez
	3rd Person	il a	ils ont
dire	1st Person	je dis	nous disons
	2nd Person	tu dis	vous dites
	3rd Person	il dit	ils disent
faire	1st Person	je fais	nous faisons
	2nd Person	tu fais	vous faites
	3rd Person	il fait	ils font
manger	1st Person	je mange	nous mangeons
	2nd Person	tu manges	vous mangez
	3rd Person	il mange	ils mangent
sortir	1st Person	je sors	nous sortons
	2nd Person	tu sors	vous sortez
	3rd Person	il sort	ils sortent

Notice : s'il *te* plaît ; s'il *vous* plaît.

Imperative

Singular	Plural
sors	sortez
fais	faites

VIII

PRESENT INFINITIVE	PRESENT INDICATIVE SINGULAR	PLURAL
être	je suis	nous sommes
	tu es	vous êtes
	il est	ils sont
aller	je vais	nous allons
	tu vas	vous allez
	il va	ils vont
boire	je bois	nous buvons
	tu bois	vous buvez
	il boit	ils boivent
partir	je pars	nous partons
	tu pars	vous partez
	il part	ils partent

THE CLOCK

Quelle heure est-il ?

Il est une heure.

„ „ „ „ cinq.

„ „ „ „ dix.

Il est une heure et quart.

Il est une heure vingt.

„ „ „ „ vingt-cinq.

„ „ „ „ et demie.

Il est deux heures moins vingt-cinq.

„ „ „ „ „ vingt.

Il est deux heures moins le quart.

Il est deux heures moins dix.

196

Il est deux heures moins cinq.
Il est deux heures, etc.
Il est trois, quatre, . . . onze heures.
Il est **midi.**
Il est midi et **demi.**
Il est **minuit.**

Notice that *midi* must be used, not " douze heures "
for twelve o'clock, noon, and *minuit* for twelve o'clock,
midnight.

Notice that *et* is used only at the first quarter and at the
half hour, and that in French you begin with the hour, in
telling the time, and not with the minutes, as in English.

The numbers 13, 14, 15, etc., are used for one o'clock,
two o'clock, three o'clock, etc., in the afternoon, on railway time-tables, but not usually in conversation : " a.m."
and " p.m." are usually expressed by " du matin " and
" du soir " respectively. (Example : Il est huit heures
du matin ; il est huit heures du soir.)

IX

Definite Article

Dative Case, or Case of the Indirect Object. (See
page 194.)

Verbs

Infinitive	Present Indicative
descendre	je descends
	tu descends
	il descend
	nous descendons
	vous descendez
	ils descendent

VERBS

INFINITIVE	PRESENT INDICATIVE	
répondre	je réponds	nous répondons
	tu réponds	vous répondez
	il répond	ils répondent
prendre	je prends	nous prenons
	tu prends	vous prenez
	il prend	ils prennent

REFLEXIVE VERB

INFINITIVE	PRESENT INDICATIVE	
s'arrêter	je m'arrête	nous nous arrêtons
	tu t'arrêtes	vous vous arrêtez
	il s'arrête	ils s'arrêtent

X

PARTITIVE ARTICLE

SINGULAR		PLURAL
MASCULINE	FEMININE	
du	de la	des
	de l'	

This use has really no equivalent in English, but is very common in French. We usually translate it by " some " or " any." Notice that in French it must be repeated before each noun.

If the sentence is negative, or if the noun is preceded by an adjective, *de* is used instead of *du*, *de la*, or *des*. (Example : Dans la cuisine il y a *du* sucre, *du* miel, *des* confitures et *de* bonnes choses. Il n'y a pas *de* sucre dans le sucrier.)

Adjectives

Adjectives ending in -*x* form their feminine by changing -*x* into *se*. (Example : Paul est heureu*x* ; Bobette est heureu*se*.)

Verbs

In French there are three different types of regular verbs :

(1) Those whose Infinitive ends in -*er* (Example : ferm*er*).

(2) Those whose Infinitive ends in -*ir* (Example : fin*ir*).

(3) Those whose Infinitive ends in -*re* (Example : répond*re*).

	Present Infinitive	Present Indicative	
Type I	fermer	je ferme tu fermes il ferme	nous fermons vous fermez ils ferment
Type II	finir	je finis tu finis il finit	nous finissons vous finissez ils finissent
Type III	répondre	je réponds tu réponds il répond	nous répondons vous répondez ils répondent

Notice that verbs whose Infinitive ends in -*eler* double the *l* before *e* mute (Example : j'app*elle*, tu app*elles*, il app*elle*, nous appelons, vous appelez, ils app*ellent*).

XI

NOUNS

Nouns ending in *-al* form their plural by changing *-al* into *-aux*. (Example : le journ*al* ; les journ*aux*.)

ADJECTIVES

	SINGULAR	PLURAL
MASCULINE	beau (bel)	beaux
FEMININE	belle	belles

The form in brackets is used before a masculine noun beginning with a vowel or *h* mute. (Example : mon bel ami.)

	SINGULAR	PLURAL
MASCULINE	tout	**tous**
FEMININE	toute	toutes

NUMERALS

Ordinal Numbers are formed by adding the ending *-ième* to cardinal numbers. *Premier* (f. *première*) is, however, used as the ordinal from *un* (*une*). Thus :

un	deux	trois	quatre
premier	deuxième	troisième	**quatrième**

cinq	six
cinquième	sixième

Note also *neuvième* from *neuf*, and the loss of *e* before *-ième* in *quatrième*, etc.

ADVERBS

Adverbs are usually formed from the feminine of adjectives by the addition of *-ment*. (Example : *lent*, f. *lente*, adv. *lentement* ; *direct*, f. *directe*, adv. *directement*.)

200

VERBS

Verbs whose infinitive ends in *-cer* need a cedilla before endings which begin with *a* or *o*. (Example : Je commence ; nous commençons.)

INFINITIVE	PRESENT INDICATIVE	
commencer	je commence	nous **commençons**
	tu commences	vous commencez
	il commence	ils commencent
mettre	je **mets**	nous mettons
	tu **mets**	vous mettez
	il **met**	ils mettent

XII

DEMONSTRATIVE ADJECTIVE

SINGULAR		PLURAL
MASCULINE	FEMININE	
ce (cet)	cette	ces

The form in brackets is used when the masculine noun begins with a vowel or *h* mute. (Example : ce train ; cet enfant ; cette poire ; ces gâteaux.)

VERBS

INFINITIVE	PRESENT INDICATIVE	
vouloir	je **veux**	nous **voulons**
	tu **veux**	vous **voulez**
	il **veut**	ils **veulent**

(1) Verbs which have an *e* mute in the root syllable lengthen this *e* into *è* before an *e* mute termination. Thus:

INFINITIVE	PRESENT INDICATIVE	
lever	je lève	nous levons
	tu lèves	vous levez
	il lève	ils lèvent

(2) Verbs whose Infinitive ends in *-eler*, *-eter* (compare page 199) double the *l* or *t* before an *e* mute termination. Thus :

INFINITIVE	PRESENT INDICATIVE	
jeter	je jette	nous jetons
	tu jettes	vous jetez
	il jette	ils jettent

Acheter, however, follows the first way. Thus :

INFINITIVE	PRESENT INDICATIVE	
acheter	j'achète	nous achetons
	tu achètes	vous achetez
	il achète	ils achètent

XIII

DEFINITE ARTICLE

Very often in French the definite article is used instead of the possessive adjective to refer to parts of the body. (Example : Monsieur Lépine pose *la* main sur l'épaule de Paul. Bobette passe *la* tête à la fenêtre.)

VERBS

INFINITIVE	PRESENT INDICATIVE		IMPERATIVE
dormir	je dors	nous dormons	dors
	tu dors	vous dormez	dormez
	il dort	ils dorment	

Infinitive	Present Indicative		Imperative
lire	je lis	nous lisons	lis
	tu lis	vous lisez	lisez
	il lit	ils lisent	.
rire	je ris	nous rions	ris
	tu ris	vous riez	riez
	il rit	ils rient	
voir	je vois	nous **voyons**	vois
	tu vois	vous **voyez**	**voyez**
	il voit	ils voient	

Reflexive Verbs

Infinitive	Present Indicative		Imperative
se lever	je me lève	nous nous levons	lève-toi
	tu te lèves	vous vous levez	levez-vous
	il se lève	ils se lèvent	
se rendre	je me rends	nous nous rendons	rends-toi
	tu te rends	vous vous rendez	rends-vous
	il se rend	ils se rendent	

XIV

Adjectives

	Singular	Plural
Masculine	nouveau (nouvel)	nouveaux
Feminine	nouvelle	nouvelles

The form in brackets is used before a masculine noun beginning with a vowel or *h* mute. (Example : mon nouvel ami.) Compare beau, bel, belle, etc., page 200.

Time

janvier	dimanche
février	lundi
mars	mardi
avril	mercredi
mai	jeudi
juin	vendredi
juillet	samedi
août	le matin
septembre	la nuit
octobre	hier
novembre	aujourd'hui
décembre	demain
un an	le lendemain
le mois	de bonne heure
la semaine	tard
le jour	la lune

Verbs

N.B. il fait beau   il fait du soleil
       il fait chaud   il fait du vent
       il fait froid   il fait du brouillard

Notice this use of *il fait* to describe the weather.

Verbs

INFINITIVE	PRESENT INDICATIVE		IMPERATIVE
courir	je cours	nous **courons**	cours
	tu cours	vous **courez**	courez
	il court	ils **courent**	

INFINITIVE	PRESENT INDICATIVE		IMPERATIVE
sentir	je sens	nous **sentons**	sens
	tu sens	vous **sentez**	**sentez**
	il sent	ils **sentent**	
venir	je **viens**	nous venons	**viens**
	tu **viens**	vous venez	venez
	il **vient**	ils **viennent**	
pouvoir	je **peux** (je **puis**)	nous pouvons	
	tu **peux**	vous pouvez	
	il **peut**	ils **peuvent**	
s'asseoir	je m'**assieds**	nous nous **asseyons**	**assieds**-toi
	tu t'**assieds**	vous vous **asseyez**	**asseyez**-vous
	il s'**assied**	ils s'**asseyent**	

XV

POSSESSIVE ADJECTIVE (compare page 194)

	SINGULAR		PLURAL
	MASCULINE	FEMININE	
1ST PERSON SINGULAR	mon	ma (mon)	mes
2ND PERSON SINGULAR	ton	ta (ton)	tes
3RD PERSON SINGULAR	son	sa (son)	ses
1ST PERSON PLURAL	notre	notre	nos
2ND PERSON PLURAL	votre	votre	vos
3RD PERSON PLURAL	leur	leur	leurs

(The form in brackets is used if the feminine noun begins with a vowel or *h* mute. Example : *mon* amie.)

Example :

SINGULAR

je mange mon gâteau
tu manges ton gâteau
il mange son gâteau

PLURAL

nous mangeons nos gâteaux
vous mangez vos gâteaux
ils mangent leurs gâteaux

ADJECTIVES

MASCULINE	FEMININE	
blanc	blanche	
doux	douce	sweet - gentle
roux	rousse	russet
fier	fière	proud
gros	grosse	

INTERROGATIVE ADJECTIVES

SINGULAR		PLURAL	
MASCULINE	FEMININE	MASCULINE	FEMININE
quel ?	quelle ?	quels ?	quelles ?

(Example : Quels animaux avez-vous ? Quelle poire
préférez-vous ?)

VERB

INTERROGATIVE FORMS

1. A question may be asked very simply by intonation,
   raising the note of the voice. (Example : Vous êtes
   là ? (‒ ‒ ⁻) = Are you there ?)
2. By simple inversion, if there is a pronoun attached
   to the verb. (Example : Allez-vous au village ?
   Est-il là ?)

206

3. By prefixing the little phrase *Est-ce que* to the statement. (Example : *Est-ce que* vous allez au village ? *Est-ce qu'*il est là ?)

4. If there is no personal pronoun attached to the verb, then add the correct one to the verb, in the correct position. (Example : Votre mère est-*elle* à la maison ? Toto n'est-*il* pas là ?)

Note the use of the hyphen in questions.

XVI

ADJECTIVES

Notice that adjectives of colour always follow their noun (compare page 192). (Example : le canard blanc ; le poussin jaune.)

Adjectives in *-en*, *-on*, form their feminine by doubling the last letter and then adding *-e*. (Example : bon, bo*nne* ; indien, indie*nne*.)

Those in *-er* become *-ère*. (Example : fier, fi*ère* ; premier, premi*ère*.)

VERBS

Notice the construction *avoir peur* (to be afraid, frightened). So also :

> avoir faim (to be hungry)
> avoir soif (to be thirsty)
> avoir chaud (to be hot)
> avoir froid (to be cold)

(Example : Les canards ont peur. L'enfant a faim. Nous avons froid.)

Lancer is conjugated like *commencer* (compare page 201, nous lançons).

Nager and *plonger* are conjugated like *manger* (compare page 195. Nous **nageons**, nous **plongeons**.)

INFINITIVE	PRESENT INDICATIVE		IMPERATIVE
battre	je **bats**	nous **battons**	**bats**
	tu **bats**	vous **battez**	**battez**
	il **bat**	ils **battent**	

XVII

NOUNS

Nouns ending in -*s*, -*x* or -*z* make no change in the plural. (Example : la fois, les fois ; la voix, les voix ; le nez, les nez.)

Nouns ending in -*au* or -*eu* form their plural by adding -*x*. (Example : une eau, des eau*x* ; le couteau, les couteau*x* ; le neveu, les neveu*x*.)

VERBS

INFINITIVE	PRESENT INDICATIVE		IMPERATIVE
tenir	je **tiens**	nous **tenons**	**tiens**
	tu **tiens**	vous **tenez**	**tenez**
	il **tient**	ils **tiennent**	

(Compare *venir*, page 205.)

XVIII

ADJECTIVES

MASCULINE	FEMININE
frais	fraîche

MONEY

100 centimes (ct.) = 1 franc (fr.)

WEIGHT

1000 grammes (gr.) = 1 kilogramme.

VERBS

Quel âge avez-vous ?

J'ai douze, treize . . . ans. (Compare page 207.)

XIX

ADJECTIVES

SINGULAR		PLURAL	
MASCULINE	FEMININE	MASCULINE	FEMININE
vieux (vieil)	vieille	vieux	vieilles

The form in brackets is used when the masculine noun begins with a vowel or *h* mute (compare page 200). (Example : un *vieil* ami.)

The plural of adjectives ending in *-al* is *-aux*. (Example : égal ; ég*aux*.)

VERBS

Notice the idiomatic verb *s'en aller* (to go away).

INFINITIVE	PRESENT INDICATIVE	IMPERATIVE
s'en aller	je m'en vais	nous nous en allons	va-t'en
	tu t'en vas	vous vous en allez	allez-vous-en
	il s'en va	ils s'en vont	

PRONOUNS

UNSTRESSED FORMS

	SINGULAR		
	1ST PERSON	2ND PERSON	3RD PERSON
NOMINATIVE	je	tu	il, elle
ACCUSATIVE	me	te	le, la

	PLURAL		
	1ST PERSON	2ND PERSON	3RD PERSON
NOMINATIVE	nous	vous	ils, elles
ACCUSATIVE	nous	vous	les

1. These forms are always found closely attached to the verb. (Examples: Je l'ai. Il ne l'a pas.)
2. The Accusative Case pronoun is placed in front of the verb unless you are giving a positive command, when it goes after, as in English. (Examples: Je le donne. Nous vous regardons. But: Donnez-le. Regardez-les.)

XX

VERBS

INFINITIVE	PRESENT INDICATIVE	
devoir	je dois	nous devons
	tu dois	vous devez
	il doit	ils doivent

XXI

ADJECTIVES

The comparative of the adjective is formed by *plus* . . . (*que*). (Example: Paul est *plus* grand *que* Toto.)

The superlative is formed by putting *le*, *la*, *les* before the comparative. (Example: Toto est *le plus* content de tous.)

VERBS

INFINITIVE	PRESENT INDICATIVE		IMPERATIVE
apercevoir	j'aperçois	nous apercevons	aperçois
	tu aperçois	vous apercevez	apercevez
	il aperçoit	ils aperçoivent	

XXII

Notice the two forms :

Masculine	Feminine
le matin	la matinée
le jour	la journée
le soir	la soirée
un an	une année

The Masculine form is used to express the idea of time ; the Feminine form is used when you are thinking of what goes to fill up that time. (Example : Tous les jours [every day]. Toute la journée [all day long, the live-long day].)

Verbs

Perfect Tense (Passé Composé)

The Perfect Tense is formed by adding the Past Participle of the verb to the Present Indicative of *avoir* or of *être*. Corresponding to the three types of verbs (Type I : infinitive in *-er* ; Type II : infinitive in *-ir* ; Type III : infinitive in *-re*) there are three types of Past Participle (Type I in *-é* ; Type II in *-i* ; Type III in *-u*). Thus :

Infinitive		Past Participle	Present Indicative	Perfect Indicative
Type I :	Porter	porté	je porte, etc.	j'ai porté, etc.
Type II :	Finir	fini	je finis, etc.	j'ai fini, etc.
Type III :	Répondre	répondu	je réponds, etc.	j'ai répondu, etc.

Perfect

	Singular	Plural
Type I :	j'ai porté	nous avons porté
	tu as porté	vous avez porté
	il a porté	ils ont porté

PERFECT

	SINGULAR	PLURAL
Type II :	j'ai fini	nous avons fini
	tu as fini	vous avez fini
	il a fini	ils ont fini
Type III :	j'ai répondu	nous avons répondu
	tu as répondu	vous avez répondu
	il a répondu	ils ont répondu

INFINITIVE	PRESENT INDICATIVE	
connaître	je connais	nous connaissons
	tu connais	vous connaissez
	il connaît	ils connaissent
suivre	je suis	nous suivons
	tu suis	vous suivez
	il suit	ils suivent

XXIII

VERBS

A simple way of indicating time immediately future is to use the Present Indicative of *aller* followed by an Infinitive. (Example : Je vais donner à manger aux enfants. Vous allez entrer au lycée ?)

XXIV

VERBS

INFINITIVE	PAST PARTICIPLE	PRESENT INDICATIVE		PERFECT INDICATIVE
savoir	su	je sais	nous savons	j'ai su, etc.
		tu sais	vous savez	
		il sait	ils savent	

XXV

The Future of the Verb is formed by adding to the Infinitive the terminations : *-ai, -as, -a, -ons, -ez, -ont.* Verbs of Type III lose the silent *-e* final before the terminations.

INFINITIVE	FUTURE	
porter	je porterai	nous porterons
	tu porteras	vous porterez
	il portera	ils porteront
finir	je finirai	nous finirons
	tu finiras	vous finirez
	il finira	ils finiront
descendre	je descendrai	nous descendrons
	tu descendras	vous descendrez
	il descendra	ils descendront
In jeter	je jetterai	nous jetterons
	tu jetteras	vous jetterez
	il jettera	ils jetteront

note the doubling of the *t* before the silent *-e.*

I. VERBES EN " -ER "

Infinitif	Présent de l'Indicatif		Futur	Passé Composé	
fermer	je ferme tu fermes il ferme	nous fermons vous fermez ils ferment	je fermerai tu fermeras il fermera	nous fermerons vous fermerez ils fermeront	j'ai fermé tu as fermé il a fermé	nous avons fermé vous avez fermé ils ont fermé
appeler	j'appelle tu appelles il appelle	nous appelons vous appelez ils appellent	j'appellerai, etc.		j'ai appelé, etc.	
jeter	je jette tu jettes il jette	nous jetons vous jetez ils jettent	je jetterai, etc.		j'ai jeté, etc.	
lever	je lève tu lèves il lève	nous levons vous levez ils lèvent	je lèverai, etc.		j'ai levé, etc.	
préférer	je préfère tu préfères il préfère	nous préférons vous préférez ils préfèrent	je préférerai, etc.		j'ai préféré, etc.	
commencer	je commence tu commences il commence	nous commençons vous commencez ils commencent	je commencerai, etc.		j'ai commencé, etc.	
manger	je mange tu manges il mange	nous mangeons vous mangez ils mangent	je mangerai, etc.		j'ai mangé, etc.	

	Présent		Futur	Passé composé
aller	je vais tu vas il va	nous allons vous allez ils vont	j'irai, etc.	je suis allé, etc.

II. VERBES EN "-IR"

	Présent		Futur	Passé composé
finir	je finis tu finis il finit	nous finissons vous finissez ils finissent	je finirai nous finirons tu finiras vous finirez il finira ils finiront	j'ai fini nous avons fini tu as fini vous avez fini il a fini ils ont fini
courir	je cours tu cours il court	nous courons vous courez ils courent	je courrai, etc.	j'ai couru, etc.
ouvrir	j'ouvre tu ouvres il ouvre	nous ouvrons vous ouvrez ils ouvrent	j'ouvrirai, etc.	j'ai ouvert, etc.
sortir	je sors tu sors il sort	nous sortons vous sortez ils sortent	je sortirai, etc.	je suis sorti, etc.
tenir	je tiens tu tiens il tient	nous tenons vous tenez ils tiennent	je tiendrai, etc.	j'ai tenu, etc.

III. VERBES EN "-RE"

	Présent		Futur	Passé composé
répondre	je réponds tu réponds il répond	nous répondons vous répondez ils répondent	je répondrai nous répondrons tu répondras vous répondrez il répondra ils répondront	j'ai répondu, etc.

Infinitif	Présent de l'Indicatif		Futur	Passé Composé
battre	je bats tu bats il bat	nous battons vous battez ils battent	je battrai, etc.	j'ai battu, etc.
boire	je bois tu bois il boit	nous buvons vous buvez ils boivent	je boirai, etc.	j'ai bu, etc.
connaître	je connais tu connais il connaît	nous connaissons vous connaissez ils connaissent	je connaîtrai, etc.	j'ai connu, etc.
dire	je dis tu dis il dit	nous disons vous dites ils disent	je dirai, etc.	j'ai dit, etc.
écrire	j'écris tu écris il écrit	nous écrivons vous écrivez ils écrivent	j'écrirai, etc.	j'ai écrit, etc.
faire	je fais tu fais il fait	nous faisons vous faites ils font	je ferai, etc.	j'ai fait, etc.
lire	je lis tu lis il lit	nous lisons vous lisez ils lisent	je lirai, etc.	j'ai lu, etc.
prendre	je prends tu prends il prend	nous prenons vous prenez ils prennent	je prendrai, etc.	j'ai pris, etc.

mettre	je mets tu mets il met	nous mettons vous mettez ils mettent	je mettrai, etc.	j'ai mis, etc.
sourire	je souris tu souris il sourit	nous sourions vous souriez ils sourient	je sourirai, etc.	j'ai souri, etc.
suivre	je suis tu suis il suit	nous suivons vous suivez ils suivent	je suivrai, etc.	j'ai suivi, etc.

VERBES EN " -OIR "

devoir	je dois tu dois il doit	nous devons vous devez ils doivent	je devrai, etc.	j'ai dû, etc. (fém. due)
pouvoir	je peux (puis) tu peux il peut	nous pouvons vous pouvez ils peuvent	je pourrai, etc.	j'ai pu, etc.
savoir	je sais tu sais il sait	nous savons vous savez ils savent	je saurai, etc.	j'ai su, etc.
voir	je vois tu vois il voit	nous voyons vous voyez ils voient	je verrai, etc.	j'ai vu, etc.

Infinitif	Présent de l'Indicatif	Futur	Passé Composé
vouloir	je veux tu veux il veut nous voulons vous voulez ils veulent	je voudrai, etc.	j'ai voulu, etc.

VERBE RÉFLÉCHI

Infinitif	Présent de l'Indicatif	Futur	Passé Composé
s'asseoir	je m'assieds tu t'assieds il s'assied nous nous asseyons vous vous asseyez ils s'asseyent	je m'assiérai, etc.	je me suis assis, etc.

VERBES AUXILIAIRES

Infinitif	Présent de l'Indicatif	Futur	Passé Composé
avoir	j'ai tu as il a nous avons vous avez ils ont	j'aurai, etc.	j'ai eu, etc.
être	je suis tu es il est nous sommes vous êtes ils sont	je serai, etc.	j'ai été, etc.

NUMERALS

1. un, une	30. trente
2. deux	31. trente et un
3. trois	32. trente-deux, etc.
4. quatre	40. quarante
5. cinq	41. quarante et un
6. six	42. quarante-deux, etc.
7. sept	50. cinquante
8. huit	51. cinquante et un
9. neuf	52. cinquante-deux, etc.
10. dix	60. soixante
11. onze	61. soixante et un
12. douze	62. soixante-deux, etc.
13. treize	70. soixante-dix
14. quatorze	71. soixante et onze
15. quinze	72. soixante-douze, etc.
16. seize	80. quatre-vingts
17. dix-sept	81. quatre-vingt-un
18. dix-huit	82. quatre-vingt-deux, etc
19. dix-neuf	90. quatre-vingt-dix
20. vingt	91. quatre-vingt-onze
21. vingt et un	92. quatre-vingt-douze, etc.
22. vingt-deux, etc.	100. cent

N.B.—Et is used in 21, 31, 41, 51, 61, 71 only. *Vingt* and *cent* have a final *-s* when multiplied by one number and not followed by another. Notice that this will not apply in dates, where the idea is not plural, but singular. (Example : l'an *dix-neuf cent*.)

ANALYSIS OF LESSONS

VOCABULARY

(For verbs marked *, see Table of Irregular Verbs, pages 214-218.)

à, at, to.

une abeille, bee.

un abricot, apricot.

accompagner, to accompany, go with; accompagné de, accompanied by.

un accordéon, accordion, concertina.

*accourir, to run up, come running.

*acheter, to buy.

à côté de, beside.

additionner, to add.

admirer, to admire.

adore, adores, loves.

adorer, to adore, love.

*agacer, to annoy, make cross. (Conjugate like *commencer.)

agiter, to wave.

aider, to help.

une aile, wing

aimer, to like; to love; aimer mieux, to prefer, like better.

aîné, eldest.

un air, air, look; elle a l'air heureux, she looks happy.

*aller, to go; aller avec, to belong to, go with.

s'en *aller, to go off; to go away.

alors, well then, then; so.

un ami, une amie, friend;

mon ami, mon amie, my dear.

un amour, love.

amusant, funny, amusing.

s'amuser, to amuse oneself.

un an, year.

un âne, ass, donkey.

un animal (pl. animaux), animal.

une année, year.

un août, August.

*apercevoir, to perceive, catch sight of.

un appareil, (photographic) camera.

*appeler, to call.

apporter, to bring.

*apprendre, to learn. (Conjugate like *prendre.)

s'approcher, to approach.

après, after; afterwards.

arranger, to arrange, put right. (Conjugate like *manger.)

s'arrêter, to stop.

arrive, arrives, comes, is coming; is happening.

arriver, to arrive, come, to come along; to happen.

Arsène Lupin, criminal hero of well-known

detective stories in France.

*as, hast (*see* *avoir).

s'*asseoir, to sit down ; to sit.

assez, enough.

assis, seated, sitting.

à travers, through.

attaché, fastened.

attendre, to wait.

une attention, attention. Attention ! Look out ! Attention à Toto ! Mind Toto !

au (*f.* à la), to the, at the.

une auberge, inn.

un aubergiste, inn-keeper.

au-dessous (de), underneath.

au-dessus (de), over, above.

une auge, trough.

aujourd'hui, to-day.

au revoir, good-bye.

aussi, also, too.

un autobus, motor bus.

un automne, autumn.

une automobile, motor-car.

autour de, around.

autre, other.

avant (de), before (of time).

avant-hier, day before yesterday.

avec, with.

une aventure, adventure.

*avoir, to have.

un avril, April.

les bagages (*m. pl.*), luggage.

se baigner, to bathe, have a bath.

baisser, to lower.

la banane, banana.

le bâton, stick.

le battoir, beater, flapper.

*battre, to beat, lash ; battre des ailes, to flap one's wings ; battre des mains, to clap one's hands ; battre la mesure, to beat time.

Baudet (name for a donkey), Neddy.

beau, bel (*f.* belle), fine, handsome, beautiful.

beaucoup (de), many ; much ; very much.

le benjamin, Benjamin ; youngest son, pet.

le berger, shepherd.

la bestiole, little beastie.

la bête, animal.

Beu ! Moo ! (of a cow).

le beurre, butter.

la bicyclette, bicycle.

bien, well ; c'est bien, all right, very well ; c'est bien ça, that's just right ; très bien, well done !

bientôt, soon ; à bientôt, good-bye for the present.

le billet, ticket.

le biscuit, biscuit.

blanc (*f.* blanche), white.

la blanchisseuse, washerwoman.

le bœuf, ox.

*boire, to drink ; boire dans, to drink from.
*bois, drink (*see* *boire).
le bois, wood.
le bol, bowl, basin.
bon (*f.* bonne), good ; kind.
le bonbon, sweet.
bonjour, good day ; good morning.
le bonnet, cap.
bonsoir, good evening ; good-bye.
le bord, edge, brink.
la bouche, mouth.
la boue, mud.
*bouger, to move, stir, budge. (Conjugate like *manger.)
le boulanger, baker.
la boulangerie, bakery.
Boum ! Boum ! Crash ! Bang !
la bourrée, old French dance, bourrée.
se bousculer, to hustle, jostle one another.
le bout, end, tip.
la bouteille, bottle; la bouteille thermos, Thermos (flask), vacuum flask.
braquer, to aim, level, adjust.
brave, brave ; worthy, excellent.
la brillantine, brilliantine (for the hair).
la broderie, embroidery.
le brouhaha, hubbub, hullaballoo.

le brouillard, fog.
brun, brown.
le buisson, bush.
le buvard, blotting-paper.
*buvez, drink (*see* *boire).

ça, that.
çà et là, here and there, hither and thither.
se cabrer, to rear (of a horse).
le café, coffee.
le camion, lorry.
la camionette, light motor lorry.
le canard, duck.
car, for.
caresser, to caress, stroke.
carillonner, to peal, ring out.
la cascade, waterfall.
causer, to talk ; to chat.
ce, this, that, it ; c'est, it is.
cent, hundred.
la cérémonie, ceremony.
la cerise, cherry.
certainement, certainly.
cet, this, that (*see* ce).
cette, this, that (*see* ce).
chacun, chacune, each one.
la chaîne, chain.
la chaise, chair.
la chambre, room, bedroom.
le champ, field ; aux champs, in the fields.
la chance, luck.
la chanson, song.

le chant, singing.
chanter, to sing.
chaque, each, every.
le chariot, cart ; truck.
chasser, to chase ; to hunt.
chaud, hot ; il fait chaud, it is hot (of the weather) ; avoir chaud, to be hot.
le chauffeur, chauffeur, taxi-driver.
le chef, leader.
le chemin, road ; lane ; le chemin du village, the road to the village.
la cheminée, chimney-piece, mantelpiece.
cher (f. chère), dear.
chercher, to look for, seek.
le cheval (pl. chevaux), horse.
le cheveu (pl. cheveux), hair.
chez, at the house of ; chez Potin, at Potin's ; chez vous, at your house.
le chien, dog.
le chocolat, chocolate.
la chose, thing.
le chou à la crème, cream-cake.
Chut ! Hush !
la cigarette, cigarette.
cinq, five.
cinquante, fifty.
clair, clear.
la classe, class ; class-

room ; les classes, classes, lessons, school.
la cloche, bell.
le cœur, heart.
Coin ! Quack ! (of a duck).
combien de, how many ; how much ; c'est combien ? How much is it ?
comme, how.
*commencer, to begin.
comment, how.
la commission, message, errand.
le compartiment, com-partment.
*compléter, to complete.
*comprendre, to under-stand. (Conjugate like *prendre.)
compter, to count.
le comptoir, counter.
les confitures (f. pl.), jam.
conjuguer, to conjugate.
*connaître, to know ; to be acquainted with.
content, pleased, satis-fied.
le contraire, opposite.
le coq, cock.
la corbeille, basket.
le corps, body.
correct, correct.
le cortège, procession.
le côté, side ; à côté de, beside.
la couleur, colour.
le couloir, corridor, pass-age.
le coup, stroke ; blow ;

tout à coup, tout d'un coup, suddenly.

couper, to cut.

le couple, couple.

la cour, (farm)yard.

*courir, to run.

la courroie, strap.

le couteau (*pl.* couteaux), knife.

couvert (de), covered (with).

le crapaud, toad.

le crayon, pencil.

le cri, cry, shout; *lancer un cri, to utter a cry, to give a shout.

crier, to cry, shriek; to squeal.

croiser, to meet (of two vehicles).

la croix, cross.

la cuillère, spoon.

la cuisine, kitchen.

la culotte, pair of breeches.

d'abord, at first, first.

d'ailleurs, besides.

la dame, lady.

dans, in.

danser, to dance.

la date, date.

de, of; with.

se *débattre, to struggle. (Conjugate like *battre.)

le décembre, December.

défiler, to march along, proceed.

la définition, definition.

dehors, outside, out-of-doors.

déjà, already.

déjeuner, to lunch; to breakfast.

le déjeuner, lunch; le petit déjeuner, breakfast.

délicieux (*f.* délicieuse), delicious.

demander, to ask.

demeurer, to live, dwell.

la demi-heure, half-hour.

la demi-livre, half pound.

la dentelle (les dentelles), lace.

le départ, departure.

derrière, behind.

descendre, to go, come down; to get down; to get out of; to take down, lift down.

désirer, to desire, wish for.

le dessert, dessert.

dessous, below; under.

détester, to hate, detest.

deux, two.

deuxième, second.

devant, in front of, before (of place); at.

développer, to develop.

*devoir, to owe; must.

le dialogue, dialogue.

Dieu, God; mon Dieu! Good Heavens!

la différence, difference.

le dimanche, Sunday.

le dîner, dinner.

je dirais, I should say (*see* *dire).

*dire, to say; to tell. Dire que . . . and to think that . . .

se *dire, to say to oneself.

directement, directly, straight.

la direction, direction.

*dis, say ; tell me (see *dire).

*dit, says (see *dire).

dix, ten.

dodu, plump, chubby.

le doigt, finger.

*dois, owe (see *devoir).

donc, then, so ; therefore ; tell me.

donne, gives.

donner, to give; donner à manger à, to feed.

*dormir, to sleep.

*dort, sleeps, is asleep (see *dormir).

le dos, back.

doucement, gently, softly.

doux (f. douce), gentle, mild ; sweet.

douze, twelve.

la dragée, sugared almond; sweet.

se dresser, to rise to one's feet.

droit, straight.

drôle, funny.

dur, hard.

une eau (pl. eaux), water.

ébouriffé, ruffled, rumpled.

un éclair, lightning ; éclair (cake).

s'écrier, to exclaim.

*écrire, to write.

*écrivez, write (see *écrire).

un effet, effect ; en effet, indeed ; yes, indeed.

un effort, effort.

égal (pl. égaux), equal ; even.

une église, church.

eh bien, well.

un, une, élève, pupil.

elle, she ; it ; elle-même, herself.

émerveillé, astonished.

*emmener, to take away. (Conjugate like *lever.)

une emplette, purchase ; elle fait des emplettes, she does the shopping.

enchanté, delighted.

une enclume, anvil.

une encre, ink.

un encrier, ink-well.

encore, still ; yet.

un endroit, place, spot.

un enfant, child.

énorme, huge, enormous.

entre, between.

entre, enters, comes in (see entrer).

une entrée, entrance.

entrer, to enter.

enveloppé, wrapped up.

une envie, envy.

une épaule, shoulder.

une épicerie, grocer's shop.

*est, is (see *être).

et, and.

un étang, pond.

un été, summer.

une étincelle, spark.
étrange, strange.
*être, to be.
exactement, exactly.
examiner, to examine.
excellent, excellent.

la faim, hunger ; avoir faim, to be hungry.
*faire, to do, make.
fait, makes, does, is doing, done ; says ; il fait beau, (of the weather) it is fine ; il fait du soleil, the sun is shining ; il fait bon, it is pleasant ; qu'il fait bon, how pleasant it is ; c'est bien fait ! serve him right !
il *fallait, it was necessary ; il me *fallait, I had to.
la famille, family.
fatigué, tired.
la faute, fault.
le fauteuil, armchair.
la femme, woman ; wife.
la fenêtre, window.
le fer, iron ; shoe (of an animal).
ferme, firm ; firmly.
ferme, close, closes (see fermer).
la ferme, farm.
fermé, shut, closed.
fermer, to shut, close.
fermez, see fermer.
le fermier, farmer.
ferrer, to shoe (a horse, ox, etc.).

le février, February.
fidèle, faithful, trusty.
fier (f. fière), proud.
la figure, face.
la file, file, line ; file indienne, Indian file, straight line.
la fille, daughter ; la jeune fille, girl.
la fillette, (little) girl.
le fils, son.
la fin, end.
la fleur, flower ; en fleurs, in blossom, in bloom.
Floc ! Splash !
la foi, faith ; ma foi ! my word !
la fois, time ; chaque fois que, toutes les fois que, whenever.
le fond, bottom.
la fontaine, spring ; fountain.
la force, strength ; de toute sa force, with all her (his) might.
la forge, forge.
le forgeron, smith.
la forme, form.
le four, oven.
frais (f. fraîche), fresh ; cool.
la fraise, strawberry.
la framboise, raspberry.
le franc, French coin, equal to about 2¼d. today.
la frange, fringe.
frappe, strikes, hits.
frapper, to strike, hit.
le frère, brother.

le **froid**, cold ; **avoir froid**, to be cold.

le **fromage**, cheese.

le **fruit**, fruit.

le **fruitier**, fruiterer.

fumer, to smoke.

le **fumeur**, smoker ; **compartiment de fumeurs**, smoking compartment.

furieux (*f.* **furieuse**), furious, angry.

gai, gay.

gaiement, gayly.

le **galop**, gallop ; **s'en va au galop**, gallops off.

le **garçon**, boy.

garder, to guard.

la **gare**, station.

le **gâteau** (*pl.* **gâteaux**), cake.

le **genou** (*pl.* **genoux**), knee.

gentil (*f.* **gentille**), nice.

le **geste**, gesture.

la **glace**, ice.

glisser, to glide, slide.

glou, glou, gobble, gobble.

la **gomme**, india-rubber.

le **goret**, little piggie.

le **gourmand**, greedy one, gourmand.

le **goûter**, light meal at 4 o'clock, corresponding to our " tea."

goûter, to taste ; to have " goûter " (*see above*).

grand, big, large, tall.

grave, serious, solemn.

la **grenouille**, frog.

grimpe, climbs, clambers.

grimper, to climb.

gris, grey.

gros (*f.* **grosse**), big, large, heavy ; (of persons) stout.

le **gué**, ford (in a river).

haut, high.

Hé ! Hullo !

Hélas ! Alas !

une **herbe**, grass.

hériter, to inherit.

une **heure**, hour. **Quelle heure est-il ?** What o'clock is it ? **à l'heure**, by the hour, per hour, an hour ; **de bonne heure**, early.

heureusement, happily, fortunately.

heureux (*f.* **heureuse**), happy.

hisser, to hoist.

un **hiver**, winter.

Holà! Hullo !

un **homme**, man.

Hon! Toot ! Pip !

Hop! Hop ! Jump !

une **horloge**, clock (in town, church, or railway).

une **horreur**, horror. **Quelle horreur !** Horrors ! Shocking !

Hue! Gee up !

huit, eight.

ici, here.

une **idée**, idea.

il, he ; it.

s'impatienter, to get impatient, lose patience

important, important.

indien (*f.* indienne), Indian.

un instant, instant ; moment.

un instantané, snapshot.

un instrument, instrument.

intéressant, interesting.

un invité, guest.

la jambe, leg.

le jambon, ham.

le janvier, January.

le jardin, garden ; au jardin, in the garden ; le jardin des Plantes, zoological garden in Paris.

jaune, yellow.

je, I.

le jet, jet, gush ; le jet d'eau, springing fountain.

*jeter, to throw.

se *jeter, to throw oneself ; to fall.

jeudi, Thursday.

la joie, joy.

jouer, to play ; to act ; jouer de, to play on (an instrument of music).

le joueur, player.

le jour, day.

le journal (*pl.* journaux), newspaper.

la journée, day.

le juillet, July.

le juin, June.

jusqu'à, up to.

juste, just, exactly.

justement, just, exactly.

le kilogramme, kilogram, about 2¼ lbs. weight.

le kilomètre, kilometre (= 0·624 of a mile).

le klaxon, klaxon, hooter, motor-horn.

la (*f.*), the.

là, there.

le lait, milk ; le petit lait, buttermilk.

lamentable, woeful.

*lancer, to throw ; to utter (a cry). (Conjugate like *commencer.)

large, broad.

laver, to wash.

le (*m.*), the.

le lendemain, next day ; le lendemain matin, next morning.

lentement, slowly.

la lessive, washing.

la lettre, letter ; letter (of the alphabet).

leur, their.

*lève, lifts, raises (*see* *lever) ; lève les yeux, looks up.

*lever, to raise.

se *lever, to rise ; to get up.

libre, free ; empty, unoccupied.

le linge, linen.

*lire, to read.

le lit, bed.
la livre, pound (weight), rather more than our English pound.
le livre, book.
loin (de), far (from); plus loin, farther on.
long (f. longue), long.
le long de, along.
longtemps, long, a long time.
lourd, heavy.
la lumière, light.
le lundi, Monday.
le lycée, (secondary) school.

ma (f.), my.
Madame, Madam; Mrs.
la madeleine, sponge-cake.
Mademoiselle . . ., Miss . . .
le magasin, shop.
magnifique, magnificent, very fine.
le mai, May.
la main, hand; à la main, in one's hand; battre des mains, to clap one's hands.
maintenant, now.
mais, but; mais oui, certainly; to be sure.
la maison, house.
malicieux (f. malicieuse), mischievous.
malin, shrewd, cunning; le petit malin, little imp.
la malle, trunk.

maman, mamma, mother.
*mange, eat(s).
*manger, to eat.
la marche, step.
marcher, to walk; to march.
le mardi, Tuesday.
le mari, husband.
le mariage, marriage.
le marié, bridegroom.
la mariée, bride.
se marier, to get married.
marquer, to mark.
le mars, March.
le marteau (pl. marteaux), hammer.
le matin, morning; le matin, in the morning.
la matinée, morning.
même, even; elle-même, herself.
*mener, to lead; to take; to bring. (Conjugate like *lever.)
le menton, chin.
le mépris, scorn, contempt.
merci, thank you.
le mercredi, Wednesday.
la mère, mother.
merveilleux (f. merveilleuse), marvellous, amazing.
messieurs, see monsieur.
*mettre, to put.
se *mettre, to put oneself, take up one's position.
la mesure, measure; battre la mesure, to beat time.

les **meubles** (*m. pl.*), furniture.

midi, twelve o'clock, noon.

ma **mie**, my love.

le **miel**, honey.

mieux, better.

le **mignon**, darling, dear.

mille, thousand.

minuit, twelve o'clock, midnight.

la **minute**, minute.

moi, me ; I.

moins, less ; minus.

le **mois**, month.

le **moment**, moment.

mon (*f.* ma), my.

le **monde**, world ; **tout le monde**, everybody.

monsieur, Mr., Sir.

le **monsieur** (*pl.* messieurs), gentleman.

la **montagne**, mountain.

monter, to go up ; to get in(to) ; to get on, mount.

montrer, to show ; to point out.

le **morceau** (*pl.* morceaux), piece, bit, lump (of sugar).

le **mot**, word.

la **mouche**, fly.

le **mouchoir**, pocket handkerchief.

la **mousseline**, muslin.

multiplier, multiply.

le **musicien**, musician.

la **musique**, music.

la **myrtille**, bilberry.

***nager**, to swim. (Conjugate like *manger.)

ne . . . pas, not.

ne...personne, nobody.

n'est-ce pas ? isn't it ? shall I ? don't you think so ?

la **neige**, snow.

neuf, nine.

le **neveu** (*pl.* neveux), nephew.

le **nez**, nose.

le **nid**, nest.

la **noce**, wedding.

noir, black.

la **noix**, nut.

nommer, to name.

non, no.

nos (*pl.* of notre), our.

notre, our.

nouveau, nouvel (*f.* nouvelle), new.

le **novembre**, November.

obligé, obliged, compelled.

occupé (à), busy (with).

un **octobre**, October.

un **œil** (*pl.* yeux), eye.

une **œuvre**, work; à l'œuvre, at work.

un **oiseau** (*pl.* oiseaux), bird.

une **ombre**, shade, shadow.

onze, eleven.

un **or**, gold.

une **orange**, orange ; **jaune orange**, orange-coloured, tawny.

une **oreille**, ear.

ou, or.

où, where; d'où,
whence, from where.
oua ! oua ! Bow wow !
(of a dog).
oublier, to forget.
Ouf ! (sigh of relief) Ah !
Phew ! What a relief !
oui, yes.
ouvert, open.
*ouvre, opens (see *ouv-
rir).
*ouvrir, to open.

le pain, bread ; loaf ; le
petit pain, roll (of
bread) ; le pain bis,
black bread, rye bread.
paisible, quiet, peaceful.
Pan ! Bang !
le panier, basket.
le papier, paper.
par, by ; on.
le parasol, parasol.
parce que, because.
le pardon, pardon.
paresseux (f. pares-
seuse), lazy.
le parfum, perfume, fra-
grance.
parfumé, fragrant.
parier, to bet, wager.
parler, to speak, talk.
la partie, part.
*partir, to set off, depart ;
to come off.
partout, everywhere.
pas, not ; ne . . . pas,
not.
le pas, pace, step ; de son
petit pas égal, at his
ambling pace.

passe, pass.
passer (par), to pass
(through), to spend
(time) ; passer la tête
à la fenêtre, to put
one's head out of the
window, look out of
the window.
Patatras ! Crash !
la pâtisserie, cake shop.
la patte, paw, foot.
le pâturage, pasture.
pauvre, poor.
payer, to pay (for).
le pays, country, country-
side.
la pêche, peach.
pêcher, to fish.
peint, painted ; peint en
vert, painted green.
la pellicule, film.
la pendule, clock.
perdre, to lose.
le père, father.
*permettre, to permit.
(Conjugate like *met-
tre.)
la permission, permission.
la personne, person ; ne . . .
personne, nobody.
petit, small, little ; ma
petite, little one, dear
child, dear ; mon
petit, my boy.
un peu (de), a little.
Peuf ! Peuf ! Puff !
Puff !
la peur, fear ; avoir peur,
to be afraid ; avoir
très peur, to be very
frightened.

le photographe, photographer.

la photographie, photograph.

photographier, to photograph.

la phrase, sentence, clause.

la pièce, apiece, each.

le pied, foot.

le pique-nique, picnic.

piquer, to sting.

le piquet, peg, post, stake.

le placard, wall-cupboard.

la place, place, square; seat (in a train).

se *placer, to take up one's stand; to stand. (Conjugate like *commencer.)

*plaît, pleases; s'il te plaît, s'il vous plaît, please, if you please.

la plante, plant.

planter, to plant; to put down.

la plaque, (photographic) plate.

plein (de), full (of), filled (with).

le pli, fold.

plongé, plunged; absorbed.

*plonger, to dive. (Conjugate like *manger.)

la plume, pen.

le pluriel, plural.

plus, more.

la poignée, handful.

le poing, fist.

pointu, pointed.

la poire, pear.

le poisson, fish.

la pomme, apple; la pomme de terre, potato.

le porc, pig.

le porcelet, little pig, " piglet."

le portail, porch.

la porte, door.

porter, to carry; to wear.

le porteur, porter.

la portière, door (of car, railway-carriage, etc.).

la pose, pose; (photo) time exposure.

poser, to place, put.

se poser, to alight.

possible, possible.

le pot, pot; jug.

Potin (well-known provision dealer in Paris).

la poule, hen.

la poulie, pulley.

pour, for.

pourquoi ? why ? pourquoi pas ? why not ?

pousser, to push; to drive; pousser des cris, to utter cries.

la poussière, dust.

le poussin, chick.

la poutre, beam.

*pouvoir, to be able; pouvons-nous ? may we ?

pratique, practical, useful.

le pré, meadow, grass field.

se précipiter, to dash forward.

*préférer, to prefer.

premier (*f.* première), first.

*prendre, to take, take up ; to catch.

préparer, to prepare.

près de, near.

presque, almost.

presser, to press.

prêt, ready.

le printemps, spring.

profond, deep.

la prune, plum.

Psitt ! Whish !

puis, then.

le pupitre, desk.

quand, when.

la quantité, quantity.

quarante, forty.

le quart, quarter ; quarter of an hour.

quatorze, fourteen.

quatre, four.

que, what ; that ; how ; qu'ils sont jolis ! How pretty they are !

qu'est-ce que (c'est) ? What is (it) ?

quel, quelle, what, what a.

quelque, some ; quelques, a few.

quelquechose, something.

quelqu'un (*pl.* quelques-uns), someone, some.

la question, question.

la queue, tail.

qui ? who ?

qui, who, that, which.

quinze, fifteen.

quitter, to leave ; to give up.

qu'y a-t-il ? what is it ? what's up ?

raconter, to tell, relate.

la rangée, row.

le rapide, express (train).

rapporter, to bring back.

se refermer, to close.

regarde, look at, looks at (*see* regarder).

regarder, to look at.

regardez, *see* regarder.

la règle, rule, ruler.

remonter, to go up.

*remplacer, to replace. (Conjugate like *commencer.)

(se) remuer, to move ; to wag.

se rendre, to go ; to surrender.

rentrer, to go back, return.

le repas, meal.

répondre, to reply, answer.

*reprendre, to take again, to take back. (Conjugate like *prendre.)

le ressort, spring.

rester, to stay, remain.

le retard, delay ; en retard, late (for an appointment, train, etc.).

le retour, return.

*revenir, to return, come back. (Conjugate like *tenir.)

236

la **revision**, revision; re-
vising.
***revoir**, to see again;
au **revoir**, good-bye.
(Conjugate like ***voir**.)
le **revolver**, revolver.
rien, nothing; **ne** . . .
rien, nothing.
***rire**, to laugh.
le **riz**, rice.
la **robe**, dress, gown.
le **roi**, king.
rond, round.
la **rose**, rose.
la **rosée**, dew.
rouge, red.
le **rouleau** (*pl.* **rouleaux**),
roll (of films).
la **route**, (high)road.
roux (*f.* **rousse**), red,
russet-coloured.
le **Roux**, (name of an ox)
" Rusty."
le **ruban**, ribbon.
la **ruche**, bee-hive.
la **rue**, street.
le **ruisseau** (*pl.* **ruisseaux**),
stream, brook.
rusé, cunning, sly.

sa (*f.*), his, hers, its.
le **sabot**, hoof; shoe (of an
animal).
le **sac**, bag.
sage, good (of a child),
well-behaved.
la **sagesse**, wisdom.
la **saison**, season.
la **salle à manger**, dining-
room.

la **salle de classe**, class-
room.
le **samedi**, Saturday.
le **sandwich**, sandwich.
la **santé**, health.
sauter, to jump, leap.
***savoir**, to know.
le **scélérat**, scoundrel.
la **scène**, scene.
le **seau** (*pl.* **seaux**), pail,
bucket.
second, second.
seize, sixteen.
la **semaine**, week.
***sentir**, to smell (con-
jugate like ***sortir**.
sept, seven.
le **septembre**, September.
le **service**, service; **qu'y
a-t-il pour votre ser-
vice?** What can I do
for you ?
la **serviette**, table napkin,
serviette.
seul, sole, single, **alone**.
si, if.
si, so.
siffler, to whistle (to).
le **sifflet**, whistle; **coup de
sifflet**, (blast of the)
whistle.
simple, simple.
le **singe**, monkey.
le **singulier**, singular.
situé, situated.
la **soie**, silk.
la **soif**, thirst; **avoir soif**,
to be thirsty.
le **soir**, evening.
la **soirée**, evening.
soixante, sixty.

le sol, ground.
le soleil, sun.
solide, solid, strong.
le sommet, top.
son, his, hers, its.
sonner, to ring ; (of a clock) to strike.
sont, are (see *être).
*sort, goes out of, leaves, rises from ; pulls out (see *sortir).
la sorte, sort, kind.
*sortir (de), to go out (of), leave.
le soufflet, bellows.
la soupe, soup.
*souriez, smile (see *sourire).
*sourire, to smile. (Conjugate like *rire).
*sourit, smiles (see *sourire).
sous, under.
soustrayez, subtract.
la station, small station.
stupide, stupid.
le stylo, fountain-pen.
le substantif, noun, substantive.
le succès, success ; avoir beaucoup de succès, to be a great success.
le sucre, sugar.
le sucrier, sugar basin.
*suis, am (see *être).
*suit, follows (see *suivre).
suivant, following.
*suivre, to follow.
sur, on.

sûr, sure ; bien sûr, to be sure.
surgir, to come into view, bob up.
la surprise, surprise.
sursaute, jumps, starts.
surtout, above all, especially.

la table, table.
la tache, spot.
tard, late ; plus tard, later on.
la tarte, tart ; la tarte aux cerises, cherry tart ; la tarte aux fruits, fruit tart.
le taxi, taxi.
le temps, weather, time ; de temps en temps, from time to time.
*tenir, to hold ; to keep ; tenir bon, to hold tight.
se *tenir, to stand.
terminé, finished, over.
la terre, earth, ground ; à terre, to the ground, down ; la pomme de terre, potato.
la tête, head.
le thé, tea.
le thermos, Thermos (flask).
Tiens ! (exclamation of surprise) You don't say so !
*tient, keeps (see *tenir).
la timbale, metal drinking-cup.

tirer, to draw ; to pull ;
tirez fort, pull hard.
le tiret, dash.
Toc ! Tap !
la toile, linen ; cloth ; canvas.
tombe, falls.
tomber, to fall.
touche, touch, touches.
toucher, to touch.
touchez, see toucher.
toujours, always.
le tour, turn.
tourner, to turn, turn
round ; to wheel (in
flight).
le tout, all.
tout, all, every.
tout, quite ; tout comme, just like ; tout à
fait, quite.
le train, train ; en train
de, busy at, in process of.
le tramway, tramcar.
tranquille, quiet.
le travail, work.
travailler, to work.
travers, see à travers.
traverser, to go through ;
to cross.
treize, thirteen.
trembler (de), to
tremble, shake (with).
trente, thirty.
très, very.
le tricot, knitting.
le triomphe, triumph.
trois, three.
le troupeau (pl. troupeaux), flock, herd.

trouver, to find.
la truite, trout.

un, une, a, one.

*va, goes (see *aller).
les vacances, holidays.
la vache, cow.
*vais, go (see *aller).
la valise, valise ; suit-case.
le vendredi, Friday.
*venir, to come ; faire
venir, to send for,
fetch. (Conjugate
like *tenir).
le vent, wind.
vers, towards.
vert, green.
vide, empty.
vider, to empty.
vieux, vieil (f. vieille),
old.
le village, village.
la ville, town, city.
vingt, twenty.
la vingtaine, about twenty ;
score.
la visite, visit ; la visite
des animaux, visiting
the animals.
visiter, to visit.
vite, quick, quickly.
vlan ! Slap ! Bang !
voici, here is, here are.
voilà, there is, there are ;
there it is.
le voile, veil ; le voile de
mariée, bride's veil.
*voir, to see.
la voiture, vehicle.
la voix, voice.
voler, to fly.

vos (*pl.*), your.
votre, your.
*voulez-vous, will you, would you like to? (*see* *vouloir).
*vouloir, to want, wish, be willing.
le voyage, journey.
le voyageur, traveller.
vrai, true.
vraiment, indeed, truly.

y, there; il y a, there is, there are; y a-t-il? is there, are there? qu'y a-t-il? what's up? what's the matter? ça y est, there you are; that's done.
les yeux, eyes (*see* œil); lever les yeux, to look up.